1.

LO QUE DICE EL DOCTOR EDUARDO FERRUSQUIA, NEUROCIRUJANO, DE MÉXICO

El cerebro humano está compuesto por elementos quími-
cos y eléctricos; en él se dice que existen entre 10.000 y 100.000
millones de neuronas (las células del cerebro se llaman así porque se comportan de forma muy diferente al resto de células que
están en nuestro cuerpo).

Hay neuronas para las distintas funciones. O dicho de otro
modo: Para las distintas funciones hay diferentes neurotransmisores.

Nuestra mente puede y es afectada por la química de nuestros transmisores. La persona que está deprimida tiene una alteración en los neurotransmisores.

Pues bien, cuando hago psicoterapia, lo que yo estoy hablán-
dole al paciente le está causando impresiones bioquímicas en su
cerebro y, por consiguiente, está afectando su conducta. Esto
quiere decir que si bien la neuroquímica (tranquilizantes, medicamentos reductores de la ansiedad, etc.) podría curar estados
de la conducta, la psicoterapia también puede hacerlo.

El cerebro entiende las palabras, las ideas, los pensamientos,
la psicoterapia en fin, y produce alteraciones, impresiones en los
neurotransmisores, modificándolos. Al ser modificados, influyen

en la conducta, pues la conducta es un producto de nuestro estado mental. Y nuestro estado mental es producto a su vez del funcionamiento de los neurotransmisores.

Puedo concluir diciendo que nuestra conducta se ve afectada de acuerdo a nuestros neurotransmisores.

(Hace muchos años vi una entrevista que le hicieron en la cadena de televisión TELEVISA al Dr. Eduardo Ferrusquia y sus palabras armonizan con la opinión de la mayoría de los grandes psicólogos, incluyendo a los del presente siglo. Además, el Departamento de Salud Mental de los Estados Unidos sostiene el mismo criterio: la psicoterapia hace cambiar el funcionamiento de las químicas de los neurotransmisores; por eso un libro como éste, así como otros muchos que se han publicado al efecto, ayudan a los pacientes que los leen a obtener ayuda para la curación de sus depresiones porque el cerebro entiende las palabras habladas o escritas de la psicoterapia y modifica la química de las mencionadas neuronas. Los lectores de mis anteriores libros pueden tener confianza en que este que ahora tienen en sus manos, les ayudará muchísimo más que las obras anteriores, pues en ésta incluyo todos los avances que se han logrado en los últimos años ya que ahora se investiga más y se han descubierto más formas de psicoterapia, además de medicamentos que ayudan y cuya relación aparece en el capítulo 35).

ÍNDICE

DANIEL ROMÁN

EL ARTE DE VIVIR en ARMONIA
contigo mismo

consejos y soluciones definitivas pará
hacer frente a la DEPRESIÓN una enfermedad que
afecta a millones de personas en todo el mundo.

Un Celemín de Vida
Ediciones 29

EL ARTE DE VIVIR
EN ARMONÍA CONTIGO MISMO
© Daniel Román González, 2004
CUBIERTA:
Joaquín Abella + Equipo editorial
COMPOSICIÓN Y MONTAJE:
Grafolet, S. L.
IMPRESIÓN:
Domingraf, S. L.
ENCUADERNACIÓN:
Frecos, S. L.
ISBN: 84-7175-531-9
Depósito Legal: B. 30.170-2004
Impreso en España
Printed in Spain
La presente edición es propiedad de:
© EDICIONES 29
Polígono Industrial Can Magí
c/. Francesc Vila, Nave 14
Teléfono: 93 675 41 35 - Fax: 93 590 04 40
E-mail:
ediciones29@comunired.com
www.ediciones29.com
08190 SANT CUGAT DEL VALLÈS (Barcelona)

Primera edición: septiembre, 2004

Ediciones 29, registro editorial n.º 688

Daniel Román

El Arte de Vivir
en Armonía
Contigo Mismo

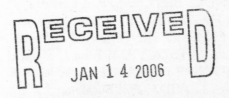

Colección Un Celemín de Vida

Director: ALFREDO LLORENTE DÍEZ

Ésta es una de esas pocas colecciones cuyos títulos alcanzan la categoría de *long sellers*, es decir, libros de larga venta en todos los países de habla española. Son libros amenos, cordiales, que expresan amor, amistad, cariño, esperanza. Textos que van *directamente al corazón del hombre* y hablan de la cultura del amor y de la tolerancia.

Títulos Publicados

A la memoria de mis inolvidables y muy amados hermanos Israel, Manolo y Dorcas; nada hay en el mundo como la familia

2.

ES MUY DIFÍCIL QUE EXISTA UNA PERSONA QUE NUNCA HAYA SUFRIDO UN ESTADO DEPRESIVO BREVE O PROLONGADO

Yo mismo sufrí de una prolongada depresión y en mi carrera como psicólogo, que abarca veinticinco años, jamás encontré a un paciente que estuviera en las condiciones que yo estuve, pero gracias a la psicoterapia del Dr. Alberto Iglesias Núñez, que logró curarme totalmente en siete meses, sin administrarme un solo medicamento y siendo él un psiquiatra (que son dados a recetar medicinas más que a dar psicoterapia), me ha permitido vivir una larga vida sin recaídas, sacándole provecho, con esa sabiduría que produce la psicoterapia cuando es suministrada por un profesional capacitado y humano; porque no basta con sacar a un paciente de su neurosis o depresión, sino que debe ayudársele a enfrentar su vida reeducándole, no manipulándole, de manera que adquiera algo así como un arte de vivir. Voy a traerte ahora, amigo lector o lectora, unas palabras de ese gran filósofo español que se llamó José Ortega y Gasset, de quien leí un concepto suyo en la *Revista de Occidente,* de España, que dice así:

«El ser humano no tiene otra realidad que su vida. Depende de ella. La vida nos ha sido dada, no nos fue dada hecha, sino que tenemos que hacérnosla nosotros, cada cual la suya. Para vivir tenemos que estar siempre haciendo algo, so pena de sucumbir. La vida es quehacer; sí, la vida da mucho quehacer, y el mayor de todos consiste en averiguar qué es lo que hay que hacer. Porque en todo instante cada uno de nosotros se encuentra ante muchas cosas que podría hacer, y no tiene más remedio que decidirse por una de ellas. Mas, para resolverse por hacer esto y no aquello tiene, quiera o no, que justificar ante sus propios ojos la elección, es decir, tiene que descubrir cuál de sus acciones posibles en aquel instante es la que da mayor realidad a su vida, la que posee más sentido, la más suya. Si no elige, sabe que se ha engañado a sí mismo, que ha falsificado su propia realidad, que ha aniquilado un instante de su tiempo vital, pues tiene contados sus instantes... El ser humano no puede dar un solo paso sin justificarlo ante su propio tribunal. Es doloroso para una persona que, por causa de su destino, no pueda hacer lo que debe hacer, lo que debe ser.»

Como los lectores pueden entender, cuando una persona no hace lo que debe hacer, su cerebro no puede funcionar bien, no ha sabido enfrentar con éxito sus realidades y, por tanto, su conducta será el resultado de sus pensamientos equivocados, distorsionados o desequilibrados. Las depresiones tienen mucho que ver con su manera de pensar y de actuar, pues esos pensamientos equivocados producen alteraciones en sus neurotransmisores y, como consecuencia, lo que llamamos equilibrio emocional se distorsiona, se elevan los niveles de ansiedades, se deprime. Nuestro equilibrio emocional es el producto de nuestra manera de pensar. Debemos aprender a elegir lo que debemos hacer y lo que debemos ser.

En este libro trataré de ayudarte a pensar correctamente, a enfrentar adecuadamente tus realidades, a entender tu espacio social, y la forma de comportarte. No hay una sola forma de comportamiento, sino muchas, pero deben ajustarse al mejor desenvolvimiento de la sociedad a la que pertenecemos. La vida humana es una vida de relación, los demás existen y los necesitamos; nuestra vida dependerá de circunstancias, pero también de nuestras decisiones. Como dice Ortega y Gasset: «estamos obligados a decidir, y decidir bien, si queremos disfrutar de la vida que tenemos por delante».

3.

POR QUÉ ES ÚTIL ESTE LIBRO

—Para hacer frente a tus estados depresivos y poder vencerlos triunfalmente.

—Para evitar que un estado depresivo breve pueda prolongarse.

—Aprender a encontrar alternativas a los problemas y conflictos.

—Crear en tu mente planes, metas, proyectos, que resulten previsibles.

—De manera que no pierdas tu preciosísimo tiempo de vivir, que no es muy largo.

—Para entender el noviazgo, el matrimonio, el divorcio o la viudez como procesos.

—Aprender a tomar decisiones acertadas, con éxito, sabias.

—Para que tu vida pueda ser funcional, como decía Thomas Jefferson.

—Aprender a ser libre, autónomo, dueño o dueña de tu propia vida.

—Para que nunca hagas el papel de borrego y no te dejes engatusar o manipular.

—Aprender a descubrir mentiras, doble sentido, suspicacia e hipocresía en otros.

—Para encontrar la verdad como nos enseñó René Descartes.

—Para que aprendas a ser una persona superior y sabia, como enseñan Abraham Maslow y San Pablo.

—De manera que puedas crear una atmósfera de amor a tu alrededor.

—Para que desarrolles las capacidades y talentos, que todos tenemos.

—Para que evites llegar a ser víctima de otros.

—Para que puedas llegar a recuperar en alguna forma el tiempo que perdiste.

—De manera que consolides tus relaciones amorosas y fraternales.

—Si sobreviene la separación, que la transición sea lo menos dolorosa posible.

—Para que conquistes un buen espacio social, superándote inteligentemente.

—De manera que llegues a disfrutar de una auténtica y excelente autoestima.

—Para refinar tus gustos y disfrutar de más y mejores cosas en la vida.

—De manera que perfecciones tu curiosidad: máximo producto de la mente humana.

—Entender tu presencia en este mundo y lo que puedes hacer por ti y por él.

—Para que no deseches, desperdicies o desaproveches los muchísimos placeres que la vida ofrece.

—Para que puedas vivir con plenitud cada edad que tengas, cada etapa de tu vida insustituible.

—De manera que vivas con valores universales, sobre todo los de nuestro mundo occidental.

—Para que interpretes sabiamente y no erróneamente tus realidades.

—Encontrar maneras de vencer circunstancias que te pueden resultar desfavorables.

—Interesarte por los muchos misterios de la vida y descubrir algunos.

—Para que puedas alcanzar el «Dasein», el ser genuino y auténtico según la psicología de la *Gestalt*.

4.

LA FALTA DE ALEGRÍA Y SENTIRSE PREOCUPADO O TRISTE, PUEDEN REVELAR LA PRESENCIA DE UN ESTADO DEPRESIVO

Aunque en mi libro TODAS LAS DEPRESIONES SE CURAN, describo los principales síntomas de las depresiones, creo necesario insistir aquí en algunos de ellos pues un refrán español afirma que lo que abunda no daña, aunque por supuesto esto es bien relativo. La depresión o neurosis es una enfermedad muy seria y peligrosa porque los psicólogos dicen que «toda persona deprimida es un suicida potencial», es decir, que cuando una persona está deprimida le pierde amor a la vida y el sufrimiento que siente le hace pensar en escapar, en lugar de buscar ayuda que es lo normal. Síntomas como tristeza, pesimismo, desesperanza, deseos compulsivos de llorar, mucha ansiedad, hipocondría, sentimientos de culpa, inutilidad, desamparo, pérdida del interés por muchas cosas, disminución o aumento de la sexualidad, disminución de la energía física, fatiga, agotamiento, dificultad para concentrarse, recordar y tomar decisiones, insomnio o dormir más de lo necesario, pensamientos de muerte, irritabilidad, crisis emocionales, transiciones, miedos, divorcio, viudedad, desempleo, y muchísimas cosas más pueden y suelen dar origen a estados depresivos breves o prolongados.

Afirma el Dr. Abraham Maslow que las neurosis provienen, también, de la ausencia de ciertas satisfacciones, de deficiencias, de carencias básicas en la vida de la persona. Somos organismos de deseos y necesidades de gran variabilidad que llegamos a considerarlos básicos, que si no los satisfacemos se convierten en privaciones y nos enferman. Nuestras necesidades son de dos tipos: básicas o de supervivencia y superiores o de trascendencia. La salud mental necesita de la gratificación de nuestros deseos cuando los consideramos como básicos y éstos, repito, varían de persona a persona.

¿QUÉ ES UNA PERSONA SANA? Aquella que ha satisfecho la mayoría de sus necesidades básicas y superiores, que tiene pocas deficiencias y es capaz de posponer su gratificación sin que llegue a frustrarse y deprimirse. Cuando Ud. no puede prescindir de alguna de estas necesidades o deseos, se vuelve neurótico, enfermizo. ¿Pueden volverse peligrosas? Por supuesto, cuando usted deja o abandona la moderación y esas necesidades se vuelven incontrolables, insaciables, inflexibles, compulsivas, seleccionadoras de objetos equivocados y se acompañan de ansiedad ¡usted las ha convertido en necesidades neuróticas!

El Dr. Viktor Frankl, ha dicho que son causas de depresión el aburrimiento, el vacío existencial, la falta de sentido, la vacuidad. Y ahora voy a ofrecerte una lista de cosas que contribuyen a generar estados depresivos: las experiencias incompletas, las injusticias, problemas que nunca se resolvieron, deseos abstractos (que nunca llegaron a realizarse), falta de autoestima, sentir que en el pasado se malgastó tu tiempo de vivir, el haber reprimido tus impulsos buenos o nobles, no haber intentado la grandeza, no haber sido libre e independiente, haber desperdiciado tu talento, no haber intentado algunas cosas por el miedo a fracasar, haber dependido de la suerte o el destino en lugar de luchar para tener éxito, sentirte cobarde en momentos en que debieras haber sido valiente, haberte dejado manipular por religiones, partidos políticos, por familiares y hasta por amistades, en lugar de ejercer tu libre albedrío, haber sido un mal padre o una mala madre, mal hijo o mala hija, haber sido una persona acomplejada no haber vivido con la plenitud que la vida ofrece a quienes luchan por ella, haber practicado aberraciones, no vivir decentemente.

Como yo padecí una depresión en mi juventud, hice un inventario de mi vida anterior y descubrí los defectos que me llevaron a la consulta de un psiquiatra; pero gracias a que busqué ayuda con un profesional adecuado, superé mis errores y comencé a crecer hasta hacerme una persona superior, autorrealizada, a ser todo lo que yo podía ser utilizando el talento que me dio el Creador. La depresión se me presentó trabajando como técnico en la mejor estación de televisión de Cuba, la CMQ y a partir de que mi jefe inmediato me llevó a ver al Dr. Alberto Iglesias Núñez, mi profundísima depresión comenzó a desaparecer ante la psicoterapia. Antes había acudido al hospital «Calixto García» de La Habana, donde no supieron curarme, los médicos me recetaron medicamentos ansiolíticos y antidepresivos, pero fue la psicoterapia hablada la que me devolvió a la vida del equilibrio emocional. En CMQ tenía porvenir, pero aprendí a tener valor y emigré con mi esposa e hijo a Nueva York, donde llegué a ser profesor de la mejor escuela de televisión del mundo (The Television Workshop of New York) y director de programas de televisión de las Naciones Unidas (ONU), así como también a realizar muchos otros proyectos generados por la energía nerviosa que una persona emocionalmente sana tiene. Que te sirva esto de aliento o de ejemplo: después de una buena psicoterapia la persona deprimida emerge a la vida con sus talentos, con nuevos bríos, como aquellos caballos impetuosos de *Ben Hur,* con el optimismo de la canción «La Vida en Rosa» y con el lema del Ejército de los Estados Unidos: «Sea todo lo que pueda ser» *(Be all you can be with the US Army).* Una depresión no tiene por qué malograr tu alegría de vivir.

5.

TIENES QUE DESENMASCARAR TU NEUROSIS O DEPRESIÓN

Aunque pueda molestarte, debo traer aquí una frase del Dr. Sigmund Freud: «Debemos desenmascarar al neurótico, revelar sus motivaciones ocultas, inconscientes, subyacentes a su comportamiento». Quiere decir que tu depresión no cayó del cielo ni es un castigo de Dios, sino que es el resultado de sucesos que tu no has sabido enfrentar y resolver, o bien no entenderlos cabalmente para definirlos. Tienes que examinar tu conducta y descubrir los errores que hayas cometido para no volverlos a cometer, pues tú puedes hacer lo que quieras, pero no puedes librarte de los sentimientos de culpabilidad que te producen y, éstos, se convierten en depresión.

Voy a mostrarte cuatro casos de personas con depresión que se negaban a desenmascarar la causa de su enfermedad. Un hombre joven, casado y con hijos tenía una conducta inmoral y servía de pareja a un compañero de trabajo homosexual, cobrándole cada vez que se acostaba con él; pero como en su niñez recibió una educación moral por parte de sus padres, se reprochaba su conducta y le sobrevenía un grave sentimiento de culpabilidad, ocasionándole una profunda depresión. Le pedí que en los próximos dos meses dejara de ver al compañero homosexual para que me diera tiempo de aplicarle un tratamiento psicoterapéutico, pero por dos veces desobedeció mi petición y tuvo nuevamente relaciones con él. Carecía de voluntad y en lugar de desenmascarar su depresión enfrentando su causa principal, su inclinación inmoral era más fuerte que su deseo de cambiar. Le dije que no tenía cura y que no deseaba yo continuar con el tratamiento.

El segundo caso es el de una maestra de instrucción primaria que padecía de depresión porque había convencido a la dueña de la casa donde se alojaba de dejarse manosear, a lo que ella consintió, pero reaccionó muy pronto y le dijo que prefería la sexualidad con su marido antes que acariciarse con una lesbiana; pero ésta, disconforme con esta decisión, no pretendía que yo la ayudase a vencer su lesbianismo, sino a que yo convenciera a la dueña de la casa de que aceptara la sexualidad homosexual. ¿Por quién me tomas?, le pregunté, pues en lugar de psicólogo ella deseaba convertirme en una «Celestina». Por supuesto, abandoné el caso rápidamente.

El tercer caso es el de una lesbiana que desarrolló una neurosis o depresión, pero en lugar de desenmascarar la causa de la misma, quería que yo la liberara de la realidad y le dijera que estaba deprimida por otra razón. En esas semanas forzó a una amiga y la convirtió en homosexual, obligándola luego a ser prostituta y a trabajar para ella. Algo no usual, pero es que los psicólogos clínicos se ven obligados a enterarse de cosas insólitas.

Un cuarto caso era el de una muchacha atractiva, casada y con dos hijos. Estaba muy deprimida y la causa es que tenía tres amantes y los sentimientos de culpabilidad le producían un elevado nivel de ansiedad. Se negaba a desenmascarar su depresión, pues no quería aceptar que el tener amantes era lo que le deprimía ya que le producía graves sentimientos de culpabilidad. «Tienes que dejarlos si quieres curarte y reconciliarte con tu marido que es una bella persona, buen esposo y buen padre». Pero ella continuaba con los amantes y con la depresión, entonces le pedí que no regresara más a mi consulta; lloró y me dijo que yo la había despedido por falta de piedad, lo cual no era cierto. Pasaron varios meses y regresó suplicándome que la aceptara como paciente. Yo pensé que vendría arrepentida, pero no, continuaba con sus tres amantes (uno de los cuales era impotente, según me dijo). «¿Quieres curarte la depresión o prefieres dejarte dominar por la sexualidad?» le pregunté, pero al cabo de varias sesiones comprobé que no deseaba dejar a sus amantes.

¿Cuál es la moraleja de estas historias? Que si tú no enfrentas las causas de tu depresión, no tienes cura posible. Las depresiones se curan si el paciente coopera, si colabora aceptando la reeducación que contiene la psicoterapia. No importa que tu problema no tenga nada que ver con los casos narrados, los he presentado para que comprendas que la depresión o neurosis que padeces, tienes que enfrentarla y aceptar los errores que has cometido: el mal enfrentamiento ante algunas de tus realidades, la falta de adaptación a los cambios, etc. No viene la cura desde el cielo, no la cura el tiempo, excepto ciertos dolores morales por la pérdida de familiares, sino que es cuestión de someterte a un plan psicoterapéutico con un profesional o quizás con este libro. Tienes que decirte: voy a vencer la depresión porque todas tienen cura. Y si buscas apoyo en la Biblia, en algún lugar afirma que «*Somos más que triunfadores*». Y en ella encuentro otros pasajes muy estimulantes para ti: «*Porque no nos ha dado Dios espíritu de cobardía, sino de poder, de amor y de dominio propio*» (II de Timoteo: 1:7). Y en Isaías 60:1, dice: «*Levántate y resplandece; porque ha venido tu luz, y la gloria de Dios ha nacido sobre ti*». Si eres una persona creyente, si tienes fe, debes confiar que la psicología es el medio que quizás el Creador ha puesto al servicio de quienes buscan ayuda para sus estados depresivos. La religión en sí misma no puede curarte, ya que también los sacerdotes y las monjas acuden a psiquiatras y psicólogos cuando tienen estados depresivos. Algunas sectas protestantes o evangélicas niegan la psicología porque ellas practican las sanaciones a través de griteríos carismáticos que tratan de sugestionar a los necesitados creyentes, casi siempre hombres y mujeres con poca instrucción escolar o proclives al fanatismo. Muchas de esas sanaciones son falsas, prefabricadas, teatrales y otras duran en tanto la sugestión les dure. Si tienes una depresión, acude a profesionales que han estudiado en universidades y saben lo que debe y no debe hacerse en beneficio de cada paciente.

6.

VAMOS A COMENZAR EL TRATAMIENTO

Yo sé que tú estás sufriendo los síntomas de la depresión y has adquirido esta obra para que te ayude a superarla, por eso no voy a demorar lo que considero el tratamiento que debe durar desde el título hasta la última página. Voy a ofrecerte mucha psicoterapia pues tú y yo debemos imaginar que estamos uno frente al otro para que podamos establecer lo que en psicología llamamos *rapport*, empatía, es decir una relación de confianza que ambos necesitamos para vencer la depresión.

No creas que por arte de magia todo lo podremos resolver, no hay milagros en esto, sino un proceso de reeducación, no importa cual sea la causa que ha generado su padecimiento. Me decía un alumno: ¿cómo es posible que un libro pueda curar todas las depresiones sin ver y sin conocer al paciente y los centenares de causas que las producen? Su pregunta, más que aprender de mi respuesta, pretendía dudar del éxito que un libro en particular pueda tener. Pero es que él desconocía que si bien existen centenares de causas, solamente contamos con unas catorce psicoterapias; luego, si tuviésemos que diseñar una terapia para cada paciente, necesitaríamos millares o millones y además de imposible, es innecesario, pues la Psicología puede curar sin que tú me cuentes tu historia, tu vida, tus conflictos, pues cualquier cosa que cause depresión va a alterar la química de las neuronas o neurotransmisores, especialmente la serotonina que es la que pierde su equilibrio químico cuando nuestra conducta no es la adecuada, cuando no sabemos cómo enfrentar las realidades, cuando no podemos adaptarnos a situaciones nuevas o conflictivas. El cerebro que nos ha dado Dios está hecho de esta manera y reacciona según sus designios; como nadie puede cambiarlo, debemos entenderlo y funcionar con él tal y como es. Los psicólogos tratamos de entenderlo cada día más y lo estudiamos día a día, pues este cerebro humano todavía guarda muchos misterios. Ahora vamos a comenzar con el tratamiento.

a) El primer paso que debes dar es ver a tu médico y explicarle lo que tienes. Probablemente te recetará un ansiolítico o un antidepresivo, o bien te remitirá a un psiquiatra.

b) Habla francamente con tu familia, explícale cómo te sientes, pídeles paciencia y cooperación y que cooperen en el tratamiento que estés recibiendo.

c) Busca todo lo bello, lo atractivo y alegre y rechaza la fealdad y todo lo que te resulte desagradable.

d) Al irte a la cama a dormir, pon una música instrumental que sea de tu agrado; mientras escuchas la música los pensamientos depresivos no podrán entrar en tu mente consciente, pues la mente no permite más que un solo pensamiento a la vez; quiere esto decir que si le pones atención a la música, es música lo que predominará en tu mente, y ello te ayudará a dormir con la paz que necesitas.

e) Suprime la cafeína, los picantes y disminuye el consumo de azúcar, especialmente por la noche.

f) Mira programas de televisión que sean alegres, entretenidos; pero nada que contenga violencia, terror y cosas desagradables.

g) Participa en conversaciones donde se toquen temas variados, pero no entres en discusiones y mucho menos en polémicas.

h) Si tienes un don, un talento, trata de practicarlo; te sentirás útil y eso es muy beneficioso.

i) Aléjate de aquellas creencias o sectas donde se practique el fanatismo; eso te puede dañar mucho.

j) Disfruta de la realidad del mundo, de la cultura; ábrete a nuevas experiencias culturales.

k) Comienza desde hoy mismo un programa de crecimiento, de superación; cuando una persona se hace superior la depresión no puede alcanzarla, como ha probado el Dr. Abraham Maslow.

l) No te encierres en tu casa o departamento; comparte la vida con otras personas que te agraden. Participa de reuniones trascendentes; si puedes continuar trabajando en tu empleo, no dejes de hacerlo; no le menciones a otros que padeces de una depresión, ésta no puede verse desde fuera.

m) No hagas algo que luego pueda producirte sentimientos de culpabilidad.

n) Trata de estar orgulloso y satisfecho de la vida decente y trascendente que haces.

o) Haz el bien sin esperar nada a cambio, excepto la satisfacción de hacerlo. Cuando somos útiles aumenta nuestra autoestima.

p) No aceptes nada que sea ilegal, pues aumentaría tus preocupaciones y vivirías dentro de un clima de zozobra.

q) Trata de vencer todas las flaquezas que tengas. Un refrán dice que «el que quiere, puede».

r) Cuando dialogues con familiares, amigos o compañeros de trabajo, nunca te alteres, trata de hablar sin alzar la voz.

s) Acéptate, sé tú mismo, tú misma, pero supérate para que sientas que vales cada vez más.

t) No te dejes manipular por nada ni por nadie; desarrolla y disfruta de tu libre albedrío.

u) Piensa que en la vida existen los fracasos, los conflictos, las decepciones, las transiciones y con todos tienes que lidiar porque es parte de la vida de relación, de la vida social. Y sin sociedad, no hay civilización y mucho menos progreso.

v) No des malas noticias; está probado que las personas con neurosis gustan de dar malas noticias y eso hace daño; ni seas susceptible (personas que se ofenden fácilmente).

w) No recurras al sueño para no pensar, característica de algunas personas deprimidas. Duerme tus siete u ocho horas y, en las horas de vigilia (cuando estás despierto), enfréntate con tu estado depresivo y utiliza la intención paradójica que te explicaré más adelante (hablarse uno mismo de manera positiva, según recomienda el Dr. Viktor Frankl).

x) Renuncia a las bebidas alcohólicas como vía de escape; no practiques ningún vicio.

y) Mientras estés bajo un determinado tratamiento, no utilices otro. Jamás acudas a espiritistas, curanderos, brujos, etc. Todo ello es contraproducente y puede llevarte a un hospital para dementes o al suicidio. ¿Sabías que los hospitales psiquiátricos están llenos de espiritistas, santeros, curanderos y demás gente de esta clase?

z) Durante los próximos noventa días, prométete seguir un plan profesional de psicoterapia y confiar en que te vas a curar de tu depresión, porque TODAS LAS DEPRESIONES SE CURAN.

7.

46 SUGERENCIAS PRÁCTICAS E INMEDIATAS PARA SUPERAR LA DEPRESIÓN

—Desde ahora mismo comienza a enfrentar tu vida con optimismo.

—No esperes demasiado de la vida; acepta sólo lo que puedas conseguir de ella.

—No te compares con lo que fuiste en el pasado, ni con otras personas.

—Haz ejercicios físicos al aire libre, sobre todo caminar y tomar un poco de sol en tu rostro.

—Construye tu felicidad con lo que ahora mismo tienes.

—Invéntate una motivación, un plan, un proyecto que ocupe tus pensamientos constructivamente, así los pensamientos negativos no encontrarán espacio en tu mente.

—Si tienes pensamientos de culpa, arrepiéntete de los errores que los produjeron; perdónate sin reparos y sustitúyelos con obras buenas.

—Haz y/o aprende algo que te conduzca a ser una persona superior.

—Acepta aquello que no puedas cambiar, de manera que no te enfermes emocionalmente.

—No te juzgues con mucha dureza; ten un poco de compasión contigo.

—No los olvides, pero perdona a quienes te han herido, agraviado, perjudicado u ofendido. Olvidar es casi imposible, pero perdónalos pues el odio une tanto como el amor aunque en un sentido contrario.

—No te fanatices con ninguna religión o creencia, con ningún partido político ni con los deportes. El fanatismo es contrario al raciocinio y al equilibrio emocional.

—Ábrete a nuevas experiencias para ser mucho más humano.

—Busca y disfruta de todo lo que sea placentero; no todo es sufrir para ganarnos el cielo. Además, sin los placeres, ¿cómo compensamos los malos momentos?

—Aprende a ser una persona positiva, que dice y hace las cosas sin titubear.

—Eleva tu autoconcepto, tu autoestima. Para sentir que vales, no esperes a que el reconocimiento provenga de los demás, sino de ti mismo, de ti misma.

—Llévate bien con los demás; comunícate constructivamente con ellos.

—Si eres una persona tímida, no lo seas más. La timidez se vence siendo un poco más extrovertido, más sociable.

—Las situaciones desagradables existen y es peor no enfrentarlas. Hazlo positivamente, sin que te saquen de quicio, sin que te alteres.

—El sufrimiento existe, así como el fracaso y los conflictos. Como existen, hay que hacer algo con ellos, y lo mejor es enfrentarlos.

—Controla tus miedos, que son aprendidos. No le tengas miedo al miedo.

—No te dejes manipular, programar o condicionar. Dios nos hizo libres.

—No aceptes muchos compromisos, no abarques demasiado. Te producirá estrés y ansiedades.

—Haz todo el bien que puedas, pero deja que los demás asuman sus propias responsabilidades.

—Ama la vida humana, que es un privilegio. La vida puede ser hermosa, pero hay que buscar la belleza con una actitud positiva. La depresión nos hace ver la vida de color gris o negro.

—Busca entretenimientos, disfruta de lo que está cerca de ti y aprovecha todas las oportunidades que encuentres en tu camino.

—Acepta a los demás tal y como son; no trates de cambiarlos. Si no tienen partes buenas, aléjate de ellos.

—Sácale a cada día el máximo provecho que puedas; depende de ti el poder hacerlo.

—Desarrolla los dones que Dios te ha dado. Todos tenemos dones.

—Ten valor para vivir; la cobardía te reduce y, a veces, demasiado.

—No seas una persona hipocondríaca. Visita a tu médico para que te convenzas de que disfrutas de buena salud o por lo menos que te ayude a superar cualquier otra condición.

—Adopta este lema: «Voy adelante con mi vida».

—Piensa antes de actuar; reflexiona sobre lo que vas a decidir.

—No te tengas lástima, no te quejes, no pienses que eres una víctima.

—Cada día aprende algo útil. Al cabo del año tendrás 365 mejoras en tu conducta.

—No te apartes nunca del sentido común, del raciocinio. Pregúntate: ¿Me conviene o no me conviene?

—Que los otros no te hagan sentir mal. «Las cosas se toman según de quien vienen».

—Dale un significado a tu vida: hay muchas cosas buenas que tú puedes hacer.

—Espera mucho de ti y menos de los demás. No te conviertas en mendigo.

—Domina tu carácter, tu temperamento; condúcete civilizadamente.

—No intervengas en conflictos si puedes evitarlo. Eso te dañará mucho en tu estado depresivo.

—Aprende a ser una persona creativa, inténtalo. Pon a trabajar tu mente. La inteligencia humana ha crecido gracias a las dificultades, a la necesidad de crear cosas útiles.

—Enamórate de la vida, de la Naturaleza, de la sociedad humana, de todo lo bueno del mundo.

—Rechaza todo lo que te produzca estrés; posiblemente lo que más muertes produce en Estados Unidos

—Adopta mi lema: «Los conflictos se resuelven o se aprende a convivir con ellos».

—Di, como Benito Juárez: «Vamos a llegar hasta donde podamos con lo que tengamos».

8.

QUÉ PUEDES HACER PARA ENFRENTAR LA NEUROSIS

Uno de los psicólogos y psiquiatras más renombrados, el Dr. Viktor Frankl, nos dice: «Las experiencias las hace la persona. El hecho de que una persona se deje influenciar o no por el medio ambiente y cómo se deja influir, depende sólo de ella misma». La neurosis (o la depresión) no se debe a una vivencia, al medio ambiente, sino a las distintas personas y a su actitud ante lo que han tenido que sufrir algunas personas que trabajan bajo presión o, mejor dicho, se ven obligadas y permanecen dispuestas a dar lo mejor de sí mismas y a hacer todo lo que sea necesario. Si la presión sobre ellas cede de pronto, esta descarga pone en peligro la persona. Esto se parece a lo que les sucede a los buzos: el buzo que sube muy repentinamente a la superficie puede llegar a morir por la rápida reducción de la presión que soporta su cuerpo.

Lo mismo sucede cuando alguien se aparta de pronto de su vida profesional y se ve libre de los continuos esfuerzos que estaba acostumbrado a realizar durante casi toda su vida. Me refiero a la crisis psíquica que puede acompañar a la jubilación si no se previene asumiendo nuevas tareas. Y continúa Frankl: «puedo citar también a este respecto la denominada "neurosis del domingo", tendencia a la desazón que suele afectar a ciertas personas durante el fin de semana, es decir, precisamente cuando la persona ya no se encuentra bajo la presión de la actividad de los días laborables, sino que puede, por fin, «respirar»; es entonces cuando se da cuenta de su vacío interior, de su falta de contenido psíquico-intelectual y de la carencia de una tarea que esté más allá que el tener que ganarse la vida a diario y le permita considerar la existencia como algo digno de ser vivido. Esto se ha probado en hospitales, con personas que habían intentado el suicidio: el motivo verdadero de que estuvieran cansadas de la vida no era la pobreza o la enfermedad, un complejo o un conflicto, sino un indescriptible vacío interior, resultado de su existencia, al parecer, sin sentido.»

Pues bien, yo mismo me pongo como ejemplo de lo que razona el célebre psiquiatra vienés. Cuando dejé de trabajar en la enseñanza después de veinticinco años, sufrí un estado depresivo al verme de pronto ante «nada qué hacer», pues además de enseñar psicología en el Sistema de Educación de Miami, yo escribo en un periódico, hablo semanalmente por radio y me invitan las principales estaciones de televisión a opinar sobre temas relacionados con mi profesión. Además, imparto conferencias y seminarios en distintos lugares, pero el sólo hecho de dejar de enseñar en el sistema escolar, me produjo un vacío. Debo agregar que resido en uno de los mejores barrios de Miami, disfruto de comodidades, tengo un jardín que yo mismo he sembrado y cuyas plantas han progresado muchísimo, ¿por qué, entonces, me sentí tan mal? Yo, que soy psicólogo y conozco todas las terapias que existen. Ah, pero es que más que todo eso, soy un ser humano y mi cerebro es igual al de los demás y estoy expuesto a los cambios que se producen en la vida. Estando en medio de este vacío existencial, tuve que aceptar que necesitaba de cierto número de semanas o meses para adaptarme al cambio después de haber estado haciendo algo durante veinticinco años. Entonces «inventé» nuevas actividades y mi vida comenzó a motivarse constructivamente. Pero un hombre muy famoso y a quien conocí personalmente, no pudo superar la jubilación. Tenía un programa de radio que se escuchaba en todo el continente durante más de cincuenta años, cuando su iglesia decidió retirarlo. El viernes se despidió con honores y muestras de amor fraternal. El sábado y el domingo lo pasó bien, pero al llegar el lunes el vacío era tan grande que al llegar el martes, murió. ¡No pudo soportar la jubilación! Y conozco de muchos otros casos que demuestran que las personas creativas necesitan estar ocupadas durante toda su vida para conservar su salud, hasta que les llegue la hora de partir.

Frankl continúa: «cuando algunas personas son liberadas de sus obligaciones, comienzan a padecer enfermedades internas como, por ejemplo, trastornos cardiacos, pulmonares, gastrointestinales y metabólicos. Quien quiera conservar su cuerpo y su mente sanos, necesita tener, sobre todo, un objetivo razonable en la vida, una tarea adecuada para ella, en una palabra, que la vida le exija siempre algo a lo que ella pueda hacer frente.»

Frankl aconseja a quienes sufran de neurosis de ansiedad, que aprendan a desviar su atención de su síntoma, dedicándose a algo. La persona con depresión debe estar ocupada en un proyecto, en una tarea útil; la desocupación es un taller de ideas desagradables y fijas, lo que en algunos países llaman «barrenillos». Mi madre tenía un refrán: «Mente ociosa es taller del diablo».

Para enfrentar tu neurosis o depresión, debes mantenerte ocupado en algo útil. Los proyectos no siempre vienen solos o por sorpresa, sino que uno debe crearlos a su medida. Hay infinidad de cosas que se pueden hacer, aunque se tengan pocos recursos. Por ejemplo, en países muy pobres los ciudadanos no tienen dinero para adquirir utensilios o recambios para sus equipos viejos y destartalados, entonces ponen su mente a trabajar y se convierten en creadores inventando artículos y artefactos que quienes viven en países ricos no se ven estimulados u obligados a hacer porque pueden comprarlos. Creo haber escuchado un refrán que dice que la necesidad es la madre de la invención. Y si tú no tienes necesidad de inventar algo porque tienes el dinero para comprarlo, tu depresión sí que necesita que te envuelvas en un proyecto que ocupe tu mente de una manera creativa. Te dije antes que el cerebro permite un solo pensamiento a la vez y si tu mente está ocupada en algo constructivo, las ideas neuróticas no pueden entrar.

Por último, las neurosis de fines de semana son peligrosas, pues atacan a aquéllas personas que los sábados y domingos no encuentran algo interesante que hacer. El aburrimiento está muy, pero muy cercano a la depresión. Y si debo advertirte algo es lo siguiente: el lunes es más peligroso que los sábados y domingos para las personas aburridas y deprimidas, porque es cuando más suicidios se producen. El suicidio obedece a un estado de depresión que puede ser transitorio. Como las depresiones se curan, puedes estar deprimido ahora, pero dentro de algunas semanas puedes llegar a ser una de las personas más felices del mundo. Razón tienen los grandes de la psicología cuando dicen que la vida debe orientarse hacia el futuro. Hoy estás con depresión, pesimista, triste y lo ves todo con negatividad, pero piensa que TODAS LAS DEPRESIONES SE CURAN y que tú estás comenzando un programa que te permitirá cambiar y mejorar tu vida y disfrutar de un estado de felicidad que está al alcance de quienes se empeñan en ver la vida de color de rosa.

9.

LA IMPORTANCIA DE LA PALABRA *ENMIENDA* EN UNA PERSONA CON DEPRESIÓN

Las palabras tienen un significado, una etimología y en el caso de las personas que padecen cualquier tipo de estado depresivo adquiere un significado muy profundo, esencial, psicoterapéutico o curativo, pues enmienda viene de enmendar y mira si es decisiva que cuando se crearon los Estados Unidos de América, sus fundadores, después que Thomás Jefferson redactó su incomparable Constitución, para no tener que hacer otra u otras, decidieron introducirle enmiendas. ¿Qué significa enmendar? Corregir, quitar defectos a una persona o cosa, enmendar un error, resarcir, subsanar daños. Aquellos norteamericanos comprendieron que a su Carta Magna debían añadírsele algunas enmiendas para que funcionara mejor. Y casi trescientos años después, esa Constitución y sus enmiendas son un modelo para todos los países democráticos del mundo. Las enmiendas aquellas se hicieron para mejorar el desarrollo de la nación.

Ahora la comparación contigo viene muy bien, pues tú eres algo así como la Constitución, que es tu vida, pero como no anda muy bien, necesita que tu conducta sea enmendada para que tu mente la haga funcionar cabalmente. Tu vida la tienes hecha, así como tu carácter y tu temperamento, pero qué mal te ha ido con ellos que te han conducido a un estado depresivo. Tu salud mental está pidiéndote a gritos que tengas que introducir ciertas enmiendas para que venzas la depresión y aprendas a tener paz y felicidad, cosas ambas que ahora mismo tú no tienes. Todo este libro contiene las enmiendas que tu conducta necesita para que goces de un excelente equilibrio emocional. Pero yo no hago milagros ni magia, sino que escribo aquí prácticamente todo lo que necesitas para vencer tu estado depresivo. Pero con leer el libro solamente no vas a lograr mucho, porque es imprescindible que tú leas, medites, reflexiones, interiorices e incorpores lo que aquí te enseño. Si lees y aceptas como bueno lo que aquí te escribo, no basta. Si no incorporas todo esto a tu conducta, no estamos haciendo nada. Voy a repetirlo: no basta con que leas el libro, lo que se necesitas es llevar a cabo lo que aquí te enseño pues debes entender que la palabra psicoterapia significa reeducación. Tú necesitas reeducación, enmendar algunas o muchas cosas de tu vida, de tu carácter o de tu temperamento. No hagas como algunos lectores que me escriben diciendo que leyeron mis libros y que son muy buenos o algo así, pero no se han beneficiado de ellos. En cambio otros me escriben y me aseguran que sus vidas cambiaron a partir del estudio de los mismos libros. Éstos incorporaron las enmiendas, subsanaron errores, modificaron criterios errados, su conducta se enriqueció y todo a su alrededor comenzó a cambiar paulatinamente y en algunos rápidamente.

Ya leíste que el Dr. Eduardo Ferrusquia dice que la mente o el cerebro (para el caso es igual) entiende las palabras de la psicoterapia y produce una acción positiva dentro de los neurotransmisores que forman parte de la química que está dentro de cada neurona. Por ejemplo, se sabe que una alteración en la serotonina (un neurotransmisor) produce una elevación en el nivel de ansiedades en el sistema nervioso y, seguidamente, produce un estado negativo o depresivo. Entiéndelo muy bien: las palabras de este libro deben producir cambios en los neurotransmisores de tu cerebro, restaurando el equilibrio químico de los neurotransmisores. ¿Qué te parece? Luego las palabras, algunas palabras, determinadas palabras, dentro de oraciones gramaticales tienen un efecto restaurador del equilibrio en tu cerebro. Esto te lo digo y repito para que exista confianza entre tú y yo, entre tú y la psicoterapia. Mi deber es ofrecerte la psicoterapia profesional que se aprende en las universidades y en el ejercicio de la profesión, tu deber es poner en práctica absolutamente todo lo que aquí te enseño.

Si tu estado depresivo tiene alguna intensidad, tu médico puede recetarte un ansiolítico o un antidepresivo que te ayudará durante un buen número de horas a mantenerte relajado, pero al mismo tiempo la psicoterapia hace su trabajo de carácter permanente (no lo hacen casi nunca los fármacos).

Un buen método para introducir enmiendas es examinar tu vida, tu carácter, tu temperamento y ver los errores que has cometido y cometes. Inmediatamente que lo hagas, comienzas un programa de cambios, de sustituciones, de modificaciones o, llamémoslas así, de enmiendas. Si no puedes hacerlo en un solo día, el método es hacer un programa diario o semanal. Cada defecto o error detectado, dejas de volver a cometerlo y en su lugar introduces una enmienda que lo sustituya. No dejes un vacío, pues el hábito te empujará a volver a repetir el error; sustitúyelo, repito, por algo nuevo, contrario, bueno, mejor. Si eres una persona violenta, comienza a dejar de serlo. Si te has acostumbrado a abusar de familiares u otras personas, desde ahora ayúdalos, trátalos bien, entonces los sentimientos de culpabilidad que tenías en ese sentido, desaparecerán y te sentirás mejor, pues quienes te tratan y te quieren o aprecian, te agradecerán que hayas cambiado para mejorar. Todos se beneficiarán porque estos cambios traen paz y felicidad. No hay cosa más estimulante que vivir en armonía con los demás, tener paciencia con quienes son imperfectos, aceptar a los demás tal y como son y demostrarles con tu ejemplo que se puede cambiar, que todas las personas pueden introducir enmiendas constructivas y edificantes. Cuando me retiré por segunda vez del sistema escolar al que he pertenecido durante un cuarto de siglo, conocí al Sr. Romero, un joven lleno de bondad que me orientó sin yo pedírselo. Romero es de esas personas que llamamos buenas, humanas, fraternas. Él nunca me había visto, nadie me recomendó, ni sabía que yo era o soy un personaje conocido en Miami por los medios de comunicación. No, Romero es de esas personas que ven a todos los seres humanos como una oportunidad que Dios le da para servirlos, para hacerles algún bien y, agrego algo: goza de un equilibrio emocional envidiable, pues las depresiones no pueden alojarse en personas maravillosas como él. Ser bueno recompensa, hacer el bien sin mirar a quién —como dice el viejo refrán— produce paz mental, sosiego y, como consecuencia, felicidad.

10.

CUÁNTO DURA UN TRAUMA O DOLOR EN TU MENTE

Hay personas a quienes les resulta muy difícil reponerse de sucesos acaecidos en el pasado. La vida humana está llena de transiciones desde niños hasta que somos mayores y es algo a veces inevitable y perturba nuestro equilibrio emocional y puede influir en nuestra manera de pensar. A ninguna persona le gusta sufrir, pero, ¿quién está libre de sufrimientos? Posiblemente las personas que son psicópatas debido a que no aprendieron a amar a nada ni a nadie y las cosas humanas les afectan poco o nada. Trauma es el dolor que nos producen los sucesos desagradables y que nos impactan. En breve voy a ofrecerte una lista de sucesos, situaciones o cosas que suelen ser traumáticas y que pueden, con el paso del tiempo, desembocar en estados depresivos. Si nosotros no somos capaces de superar esos traumas dentro de determinado espacio de tiempo, van a permanecer constantemente dentro de nuestra memoria y cada vez que los recordemos nos harán sentir mal. Yo sé que hay sucesos de los que jamás nos reponemos porque su impacto en nuestro espíritu es de gran magnitud. Los psicólogos no somos ajenos a estos sucesos pues la muerte de mi madre, por ejemplo, así como la de tres de mis hermanos, han dejado una profunda huella en mi vida, pero con el tiempo el dolor va menguando porque los sucesos diarios ocupan mi mente y ya dije antes que el cerebro permite un solo pensamiento a la vez.

El objeto de este capítulo es ayudarte a comprender tus traumas y a enfrentarlos de manera que te causen el menor dolor posible. No significa que si se refiere a personas vas dejarlas de amar, u olvidarlas, si es que han fallecido, sino que no es bueno para ellas, ni para ti, ni para tus familiares que te pases la vida sufriendo pues, ¿qué beneficio tiene? Ah, sí, claro, hay personas que les agrada el papel de víctimas y se disfrazan de sufridas para manipular a los familiares o porque son masoquistas, pero este no es, seguramente, tu caso. Seguidamente te voy a presentar los casos que te mencioné antes.

- ¿Te has repuesto de tu divorcio o separación?
- Del empleo que perdiste.
- De la calumnia de que has sido objeto.
- De las heridas morales que te han infligido.
- De las humillaciones de que has sido objeto.
- Del descenso en la escala social.
- De la pérdida de imagen, del protagonismo que disfrutabas, de la vigencia que tenías.
- De la desaparición de un ser querido.
- De parte de tus facultades.
- De alguna lesión física de nacimiento o producto de un accidente más o menos reciente.
- Quizás alguna religión hipotecó tu niñez llenándote de miedos y traumatizándote.
- Sufres conflictos más o menos graves dentro de tu hogar.
- Has tenido en el pasado experiencias sexuales de las que te avergüenzas.
- Has sido víctima de alguien o de una institución.
- Has cometido algún delito que te abochorna.
- Alguien te ridiculizó públicamente en el pasado.
- Has sido víctima de una violación sexual.
- Te han expulsado alguna vez de cierto lugar.
- Has hecho sufrir a alguien que no lo merecía y eso gravita en ti y te deprime.
- Has abandonado a uno o a más hijos.
- Has abandonado a tus padres.

- Te ha afectado mucho ser una persona huérfana.
- Sospechas o has confirmado que tu cónyuge te ha sido o te es infiel.
- Te sientes mal porque no has podido realizar tus sueños.
- Has sido despojado de algo, tal vez de la custodia de tus hijos.
- Te has sentido siempre o te han tratado como un Don o una Doña Nadie.
- Te ves obligado(a) a convivir con personas vulgares y tú repudias eso.
- Te discriminan por tu raza o por tu manera de pensar y de proceder.
- Sufres porque no te sientes capaz de terminar lo que empiezas.
- Tienes familiares en la cárcel o en condiciones deplorables sufres por ello.
- Te reprochas o reprochas a la vida que hipotecara tu niñez y juventud.
- Has hecho daño a alguien y nunca has podido repararlo.
- Has recibido agravios que has deseado vengar y no lo has hecho.
- En el pasado fuiste feliz, ahora no lo eres y añoras lo que antes viviste.
- Has vivido dentro de un hogar donde te subestimaban y no te daban valor.
- Piensas que has vivido como una persona mediocre y nunca estuviste conforme.
- Estás a disgusto con tu cuerpo, tu estatura, tu gordura o delgadez, tu voz, etc.

Cualquiera de estas cosas suelen suceder y generan disconformidad, traumas y hasta estados depresivos, porque son cargas pesadas en tu mente que influyen en tu actitud frente a la vida y casi nunca te han servido como plataforma de lanzamiento para cambiar o intentar superarlas, pero la psicología te quiere enseñar algo: a todas estas cosas debes encontrarles soluciones enfrentándolas, tratando de superarlas, aceptando las que no puedas cambiar, adaptándote a lo que sea imposible. En este libro existen respuestas adecuadas. Acuérdate de que las circunstancias influyen mucho, pero el ser humano posee un cerebro maravilloso que si es educado, si aprende, si adquiere sabiduría, genera respuestas con soluciones.

11.

COMPENSACIONES Y PLACERES A TU ALCANCE

En el capítulo anterior te hablé de los traumas y del dolor que suelen acompañar a los estados depresivos y las soluciones las encontrarás a lo largo y ancho de este libro, pero los seres humanos no están diseñados para el dolor sino para la alegría y el disfrute que el Creador ha puesto a sus pies, pues una persona normal, equilibrada y trascendente tiene de Dios una idea edificante. Contrariamente a lo que escriben algunos exégetas del Antiguo Testamento, que son muy pesimistas, el ser humano tiene derecho a disfrutar de los placeres que se encuentran repartidos por doquier en este planeta y muchos de ellos están a tu alcance si resides en países prósperos pues sabemos que excepto en Europa, en los demás continentes reina mucho la pobreza y los placeres se limitan a la sexualidad mayoritariamente porque es lo que está más próximo y es más económico ya que se practica dentro de los hogares. Y aún dentro de ciudades y campos de esos continentes existe pobreza y miseria, son capaces de echarle mano a lo que tienen a su alrededor para procurar placeres sencillos en forma de deportes, cacería y bailes, ceremonias y juegos, porque los documentales que vemos por la «Televisión Española Internacional», «Discovery Channel» y «National Geographic Magazine» nos muestran los rincones más apartados y llegan hasta las tribus amazónicas y del África. Todos buscamos placeres como compensación a nuestros esfuerzos y sufrimientos.

Tú, si estás atravesando por un estado depresivo, tienes que buscar placeres normales que te produzcan satisfacciones, pues durante el tiempo en que estés satisfaciéndote, los pensamientos depresivos no entran en tu mente para perturbarte. Hay durezas en la vida de millones de personas, obligaciones, paciencia para soportar a un cónyuge injusto o violento, empleos agotadores, preocupaciones por la salud de nuestros familiares, el comportamiento de nuestros adolescentes, y así por el estilo, pues bien, para todo eso existen compensaciones en forma de placeres. Como los seres humanos somos diferentes, cada persona tiene sus propios gustos, sus preferencias, sus entretenimientos, así es que yo no te voy a decir cuáles placeres pueden servirte como compensación, sin embargo tengo para ti una lista de los placeres más intensos que los seres humanos suelen disfrutar en el mundo, aunque algunos de ellos pueden cambiar de acuerdo con la cultura a la que se pertenezca.

1. El nacimiento de un hijo.
2. La graduación de un hijo en la Universidad.
3. El primer beso de amor.
4. Escuchar composiciones musicales de tu agrado.
5. Contemplar una obra de arte que nos emocione por algún motivo.
6. Hacer descubrimientos de muchas clases.
7. Inventar algo.
8. Cuando un problema grave se resuelve.
9. Un momento de revelación, de iluminación, de interiorización, de comprensión.
10. Ejecutar una danza o disfrutar contemplándola.
11. El regreso a la patria o a nuestra ciudad o pueblo.
12. La llegada de una persona muy amada.
13. Estar enamorado y ser correspondido.
14. Una reconciliación deseada.
15. Extasiarnos ante un paisaje o ante algo grandioso.
16. El momento de encontrar a una persona muy querida que estaba perdida.
17. El éxito profesional, artístico, deportivo o de otra índole.

18. Sentirnos en armonía con el infinito, con el Creador.

19. Estar en paz con nuestra conciencia moral.

20. El momento de terminar una obra de arte o de algo muy importante.

21. Sentirnos muy amados.

22. Cuando resolvemos un gran problema del que teníamos dudas.

23. La prosperidad, cuando nos llega por sorpresa.

24. El hacer realidad una gran ilusión.

25. El momento en que sabemos que se nos ha hecho justicia.

26. Autorrealizarnos, llegar a completarnos como seres humanos.

27. Comprobar que una persona a la que amamos está fuera de peligro.

28. Ganar una competición muy reñida.

29. Sentirnos salvados de un gran peligro que nos acechaba.

30. Pasar de la pobreza a la riqueza súbitamente, etc.

12.

COMIENZA A TENER UN CONTROL DE TUS EMOCIONES

El ser humano es una combinación de inteligencia y emociones y las necesitamos a ambas. La inteligencia es aparentemente fría por su necesaria objetividad, pues en ella radica el raciocinio, el ordenamiento de las ideas, el pensamiento lógico. Está ubicada en el lado izquierdo del cerebro. En el lado derecho están las emociones, la creatividad, la poesía y muchas otras cosas. Tu vida necesita de todo eso. Las emociones producen el mayor producto de la raza humana: el amor, que yo lo describo en cien formas o maneras y tenemos que Jesús dijo que «Dios es amor», luego el amor prevalece y supera todo lo demás del mundo y de la vida humana.

Las emociones son necesarias, pero se necesita control para que no se desboquen y nos dañen. En las situaciones conflictivas solemos perder el control emocional y eso empaña las posibles soluciones. Como en las depresiones lo que se daña es la parte emocional, debemos dedicarle un capítulo a este tema. Siguiendo mi costumbre de hacer descripciones concisas que se aprenden rápida y fácilmente, voy a hacer lo mismo con este tema. En esta obra estoy utilizando menos literatura, menos argumentos de carácter científico, que tu no necesitas, pues lo que deseas son soluciones y vamos hacia ellas.

- Frente a un conflicto no debemos dejarnos llevar por nuestro estado emocional.

- La ecuanimidad es lo adecuado, la serenidad, razones que convenzan.

- En un conflicto se necesita casi siempre más de la inteligencia que de las emociones.

- Para resolverlo realizas un proceso, lo examinas y evalúas y te preguntas: ¿Qué es lo mejor que puedo hacer?

- Para exponer tus argumentos no se necesitan explosiones de carácter, gritos, ademanes, ofensas, palabras obscenas. Nada de eso se necesita, porque están de más.

- Piensa que un conflicto lo que necesita es una solución, resolverlo con el menor daño posible.

- Pocas veces hay soluciones ideales; ser realista significa obtener lo mejor que se pueda lograr.

- Cuando un matrimonio tiene conflictos, deben preguntarse mutuamente: ¿Tienes interés en salvar la relación? Si dicen que sí, hay esperanza de salvarlo. Si uno de los cónyuges dice que no, como el amor no es obligado, debe deshacerse. Porque un matrimonio son dos y tienen que participar al unísono.

- Mi método para salvar un matrimonio en conflicto es que ambos se sienten en el comedor, frente a frente, para que puedan mirarse; dialogar, hablando por turno, sin hacer interrupciones, porque hay que dejar que cada cónyuge descargue todas sus quejas. Después habla el otro y al final, dialogan, no gritan ni ofenden. Se llega a acuerdos cediendo cada uno un poco, rectificando conductas, siendo sinceros y poniendo lo mejor de cada uno para que la relación funcione armoniosamente.

Otros tipos de conflictos o problemas no son matrimoniales, pero también hay que afrontarlos. En una de mis clases de psicología entre personas mayores, les pregunté: «¿Cuando ustedes tienen un problema, cómo lo solucionan?» A lo que la mayoría contestó: «Lo ponemos en las manos de Dios». Entonces, volví a preguntarles: «¿Y en las manos de ustedes qué es lo que ponen?» Yo estudié Teología y aprendí que Dios nos dio libre albedrío y se supone que nos dio un cerebro maravilloso para que pudiéramos desenvolvernos en la vida, no que tengamos la cabeza para ponerle un sombrero. Se supone que cada persona enfrenta sus propios problemas y hace lo posible por encontrarle soluciones y busca ayuda en familiares, amistades o profesionales. Después que haya agotado todos los medios, si no hay solución humana, entonces llegó el momento de rezar a Dios y pedirle ayuda. Antes, no.

13.

MANERAS EQUIVOCADAS DE ENFRENTAR LAS DEPRESIONES

Los poetas y filósofos de todas las épocas sabían que no es la persona serena y equilibrada la víctima de los desórdenes psíquicos, sino la desgarrada por los conflictos interiores. En términos modernos, toda neurosis o depresión, cualquiera que sea el cuadro sintomático, es una neurosis de carácter. Lector o lectora: debes entender que hay personas que por su carácter son proclives a la depresión. Por otra parte las neurosis no son iguales en todas partes, depende en cual civilización tú vivas, pero hay cosas comunes en todas ellas, por eso un libro como éste puede ayudarte si resides en Europa, en América o en otros continentes. La manera en que la persona se enfrenta al mundo, su manera de relacionarse con otras personas y como procesa sus percepciones tienen mucho que ver con su manera de pensar y de sentir. El psicólogo George Kelly describió la experiencia privada (que tiene la persona) para interpretar sus percepciones, la idea que tiene sobre ella misma y de los eventos de su diario vivir. Los llamó *constructos personales*. Creyó que cada persona está constantemente dedicada a resolver problemas y construye en su mente una interpretación de los mismos de acuerdo con su manera de pensar, de ver la vida, por eso es tan difícil para los religiosos y políticos hacer que todo un pueblo acepte pensar igual. Felizmente los seres humanos nos parecemos pero no somos iguales; somos diferentes y yo le doy gracias Dios por ello, porque un mundo donde todos fuéramos y pensáramos igual, sería horrible, aburrido, atrasado y jamás hubiéramos salido de las cavernas. Sin embargo, quiero recalcarte que somos muy semejantes en nuestras necesidades básicas como comer, tomar agua, buscar seguridad, reproducirnos, agruparnos, etcétera. Pero nos dice el Dr. Abraham Maslow que en las necesidades superiores comenzamos a distanciarnos pues traemos dones que el Creador nos dio y nos inclinamos a seguirlos, lo que ha permitido que exista eso que llamamos civilización de la cual todos nos beneficiamos.

Según Kelly cada persona, repito, se enfrenta a sus problemas de una manera particular. Por ejemplo, definió la ansiedad (muy relacionada con la depresión) como el hecho de que la persona se da cuenta de que su manera de construir su pensamiento frente a determinado problema no lo resuelve y, en cambio, le aumenta la ansiedad porque no ha sabido manejar su situación.

En el mundo existen discusiones, ofensas, separaciones, decepciones, fracasos, frustraciones y un número infinito de eventos, todos los cuales necesitan enfrentamiento individual. Si en tu niñez y adolescencia no recibiste una educación adecuada en tu hogar y en las escuelas, vas a dar muchos pasos de ciego y generalmente desembocarás en perplejidad, aumento del nivel de ansiedades y como consecuencia depresión o neurosis. Si tienes quien se de cuenta y te lleve de la mano hacia un psiquiatra o un psicólogo clínico capacitado, te ayudará con psicoterapia a reeducarte y a enfrentar con éxito tus realidades, pero sucede que a veces te llevan a un profesional que es mediocre y no sabe cómo curarte o ayudarte, lo que te desconcierta. Y una persona deprimida desconcertada es un cuadro doloroso pues puede terminar fatalmente.

Las personas que hemos sufrido depresiones tratamos de buscar ayuda donde nos la ofrezcan y nuestros familiares y amistades, creyendo que nos hacen un favor, pueden enviarnos tranquilamente a un curandero, espiritista, una secta carismática que afirma hacer sanaciones milagrosas, una cartomántica o palmista, un astrólogo o a un farmacéutico o boticario que conoce de cierto medicamento que acaba pronto con las depresiones. Yo he conocido a enfermos de neurosis que recurren a amuletos, a tomar infusiones de tila y de otras hierbas, desesperadas por no sufrir la horrible depresión que no les deja ser felices. Por favor, no hagas nada de eso porque la neurosis o depresión es una enfermedad como hay otras y debes buscar ayuda profesional. Si con un psiquiatra o psicólogo no progresas, busca a otro hasta que des con el que sabe aplicar una psicoterapia adecuada. Pero si resides en un lugar donde no es fácil dar con el profesional adecuado o si no tienes dinero para pagar las consultas, entonces yo te ofrezco humildemente mis libros, publicados por EDICIONES 29, donde trato de transmitirte mis conocimientos y experiencias como psicoterapeuta, porque a distancia se pueden hacer muchas cosas. Por ejemplo, durante la Segunda Guerra Mundial yo estudié radiodifusión por correspondencia, aprendiendo a reparar radios que no funcionaban o funcionaban mal y también televisión cuando la escuela de California comenzó a ofrecer cursos adecuados. El método de enseñanza de su director el Sr. Rosencranz era muy bueno y supe que desde Scranton, Pennsylvania, las Escuelas Internacionales por Correspondencia llegaban a muchos lugares del mundo con muchos otros cursos. El método de enseñar por correspondencia de los norteamericanos es muy bueno (también el de los españoles y los mexicanos, los cuales conozco también) y yo he aprendido lo suficiente como para poder hacer llegar hasta tu hogar la psicoterapia de los grandes psicólogos, porque no basta con escribir un libro de psicología o psicoterapia, sino utilizar un método apropiado para que puedas asimilar lo que en él escribo. Y creo que tengo un buen dominio del idioma castellano para hacerte entender la ciencia de la psicología en este bellísimo idioma, descartando los términos técnicos que te confundirían. Ya sabes por el Dr. Eduardo Ferrusquia que el cerebro entiende las palabras que empleamos en la psicoterapia, restableciendo el equilibrio químico que tienen los neurotransmisores. Si tú entiendes el idioma español, entiendes la psicoterapia que existe en mis libros. Más que esto no puedo hacer, excepto que me escribas y envíes tu *E-mail* y pueda contestarte alguna pregunta en particular de acuerdo con el número de correspondencia que yo reciba y el tiempo de que disponga. Creo que soy el único psicólogo en el mundo en poner mis direcciones en los libros para que los lectores y lectoras puedan escribirme. Como podría mudarme de casa en algún momento, voy a darte al final de este libro mi *E-mail,* en lugar de mi dirección actual en Miami, Florida.

EDICIONES 29 incluye al principio de este libro los títulos de todos los que me ha publicado desde la década de los años ochenta del pasado siglo.

14.

MUCHOS PROBLEMAS
Y POSIBLES SOLUCIONES

¿Cuántos problemas y conflictos hay en el mundo? ¿Cuántos existen en tu vida? Tantos que no cabrían dentro de una enciclopedia, pero como en este libro debemos incluir un buen número de ellos los describiré y podría suceder que algunos tengan que ver contigo y aunque pienses que no tienen que ver contigo, yo diría que sí tienen que ver porque es parte de la psicoterapia que aprendas a enfrentar tus realidades de ahora y las que puedan suceder en el futuro próximo. ¿Acaso no hay un refrán que dice que es mejor prevenir que lamentar? En estos momentos quiero decirte algo importante: entre las personas bien educadas y cultas, el número de neurosis o depresiones es muy bajo. Los psicólogos B. P. y B. S. Dohrenwend han demostrado constantemente que la clase socioeconómica baja está relacionada con una mayor frecuencia de la conducta inadaptada. Una combinación de factores productores de estrés, como hogares desintegrados, salud deficiente y privaciones económicas contribuyen a producir estados depresivos. Estas personas adquieren, interpretan y usan la información que reciben para resolver sus problemas, pero reciben las informaciones en forma fragmentada y sus procesos mentales son defectuosos. Los psicólogos John Dollard y Neal Millar describieron la conducta inadaptada como una combinación de las experiencias desafortunadas de la vida y del modo de pensar inadaptado. Adaptación es parte del equilibrio emocional de la persona, porque la inadaptación genera frustraciones y ésta produce violencia o hastío, indiferencia, fatalismo. Enferma a la persona su mal enfrentamiento con sus realidades. Te incluyo estas opiniones para que entiendas que debes superarte, educarte, adquirir cultura para que comprendas mejor tu vida y el mundo en el cual vives, y así puedas alcanzar un mejor nivel social donde tus ingresos económicos y tu educación te alejen del mundo de las depresiones.

Vamos ahora a examinar un buen número de problemas y posibles soluciones.

• QUÉ HACER CON LOS PENSAMIENTOS DEPRESIVOS. Enfrentarlos y no dejar que dominen tu vida, para eso tienes que aprender cómo hacer las cosas, justamente en este libro.

• CÓMO PUEDES QUITAR EL DOLOR A TUS RECUERDOS TRISTES. No les tengas miedo. Tráelos a tu mente donde estaban almacenados con la carga emocional que fueron guardados en el momento de suceder. Examínalos: si fuiste culpable de algo, perdónate pues en ese tiempo no tenías los conocimientos y los sentimientos que ahora tienes. Si te hirieron, perdona como Jesús perdonó a quienes causaron su crucifixión. Una vez que te perdones o perdones, los recuerdos regresarán a tu memoria larga (o inconsciente) sin la carga emocional dolorosa. ¡Te la quitaste de encima!

• QUÉ PUEDES HACER CON TUS SENTIMIENTOS DE CULPABILIDAD. Rectificando tu vida moral, reparando las injusticias que cometiste, perdonando y perdonándote, reconciliándote con quienes murieron y con Dios. Cuando Jesús fue a que Juan lo bautizara, quiso enseñarnos que podemos rectificar nuestras vidas, tener una segunda oportunidad, pero bautizarnos con sinceridad, no mojándonos únicamente, pues cuando salimos del agua quiere decir que ahogamos nuestros viejos errores y desde ahora en adelante vamos a ser verdaderos cristianos o mejores personas.

• CUÁNDO Y CÓMO NO CEDER ANTE LAS TENTA-CIONES. Midiendo las consecuencias de tus actos, preveyendo o anticipando lo que podría sobrevenir. Tú tienes un cerebro para pensar y debes haber recibido una educación moral, tener valores y saber lo que es bueno o malo en la cultura donde te desenvuelves o perteneces. Cuando tienes frente a ti algo que te tienta y sabes que no debes caer en la tentación, echas mano a tu voluntad y te hablas a ti mismo, a ti misma y te dices: «No lo debo hacer y no lo quiero hacer». Pero hasta el mismo Apóstol Pablo lo dijo en una oportunidad: «Porque lo que no quiero hacer es lo que hago; miserable de mí». Sí, somos unos miserables cuando hacemos lo que no debemos hacer y si lo hacemos, el castigo nos perseguirá hasta el último día de nuestra vida: el yo punitivo, pues la conciencia moral nos lo estará reprochando cada vez que nos acordemos. Y aunque no te acuerdes, el sentimiento de culpabilidad está vivo en tu mente inconsciente y generándote un mayor nivel de ansiedades. ¿De dónde crees que vienen la mayor parte de las depresiones?: de los sentimientos de culpabilidad.

• BUDA SE OPUSO A LOS DESEOS, PERO, ¿ES NE-CESARIO RENUNCIAR A ELLOS? Si no hay deseos, la vida se torna árida, no crece en nuestra mente la necesidad de crear, investigar, descubrir, disfrutar, entonces debo entender que Buda, antes de hacerse un místico o algo así, tuvo muchísimos deseos y gozó de grandes placeres hasta un día en que su cuerpo y su mente se colmaron y, como en el tango de Carlos Gardel y Alfredo Lepera, se dijo: «no resisto más» y decidió renunciar a los deseos normales en los seres humanos. No lo culpo porque esa era su vida y podía disponer de ella a su manera, como dice la canción «My way» que tan popular hizo Frank Sinatra. Millones de budistas (la cifra la imagino yo) siguen la vida de Buda, sobre todo los monjes que viven en el Tibet, a quienes dediqué una poesía, pero si echamos una mirada a los pueblos budistas, comprobamos que están atrasados, excepto Japón, donde modificaron el budismo con algo que llaman «zen» y ese país nipón goza de una prosperidad extraordinaria. De cerca o de lejos vemos a los japoneses llenos de deseos y de grandes logros. Los occidentales y los países muy civilizados están poblados por ciudadanos llenos de legítimos deseos.

- **ESTÁS DOMINADO POR TUS EMOCIONES.** Sobre todo cuando te enamoras de alguien o de algo, pero ¿qué sucede?, que tu estado emocional ensombrece tu inteligencia y no es difícil que tomes decisiones erróneas. Sin emociones la vida no se disfruta, pero debes sujetarlas para que no se desboquen. Por eso se aconseja la moderación en nuestra conducta.

- **TIENES DEPENDENCIA SEXUAL DE TU ESPOSA.** Ella lo sabe y por esa necesidad tuya te manipula, a menos que tengas la dignidad de no dejarte manejar como un borrego. Para ello necesitas tener carácter y sin alterarte razonar juntos el desarrollo de tus relaciones con ella.

- **TIENES FRUSTRACIONES Y DESILUSIONES.** La frustración es un producto de no querer aceptar una realidad, el no desear adaptarte a un cambio o a no poder obtener o lograr lo que deseas. La frustración produce violencia o apatía. como he dicho antes. Debes aceptar lo que no puedas cambiar o lograr, tal vez en el futuro podrás intentarlo de nuevo. La desilusión es la no consecución de un sueño. Por ejemplo, te enamoras de una persona pero ella de ti no. ¿Vas a obligarla a que te acepte? La relación entre dos personas debe ser espontánea, natural, con el consentimiento de ambas.

- **LE TEMES A UN FUTURO DEL QUE TIENES DUDAS.** La vida humana es para vivirla en el presente, utilizando lo mejor de tu pasado, pero orientándola hacia el futuro. Vive intensamente hoy, pero siembra para que puedas cosechar mañana.

- **SUEÑAS CON UNA PERSONA QUE DESEARÍAS TENER, PERO NO ES POSIBLE.** Solemos decir de fulano de tal que está enamorado platónicamente de fulana, es decir, que es un amor sin acercamiento, de lejos. Creo que es el caso de Dante Alighieri y de Petrarca, que sublimaron a dos mujeres que hicieron famosas en sus escritos. Si ese es tu caso y tienes talento podrías hacer literatura con la que alcanzarías fama universal, de lo contrario enamórate de una persona que pueda llegar a corresponderte para que ambos lleguéis a ser felices.

• CÓMO EVITAR GRAN PARTE DE LOS CONFLICTOS. No creándolos, aprendiendo a tomar decisiones sabias mediante la reflexión. Hay quienes actúan y a continuación piensan; son los que generalmente se arrepienten después. Si primero piensas y meditas, es muy probable que tomes decisiones acertadas.

• ESTÁS DISCONFORME CON TU VIDA ACTUAL. Significa que ha llegado la hora de cambiar, de intentar cosas nuevas, de trascender mediante la superación.

• NO HACES PROYECTOS NI PLANES POR TEMOR A QUE FRACASEN. Sucede que te falta voluntad, arrestos, espíritu de lucha, tienes poca o ninguna confianza en ti. No temas, haz proyectos que estén al alcance de tus posibilidades y que sean a corto plazo para que tu voluntad no merme. Un refrán dice: «El que no lo intenta ni gana ni pierde». Yo diría más: no intentarlo es perder. La vida humana está llena de riesgos; se necesita valor para vivir e intentar cosas.

• TE HAS DIVORCIADO O SEPARADO RECIENTEMENTE Y TIENES CON QUIEN CASARTE O UNIRTE. Cometerías un gravísimo error, porque debes esperar que transcurra un poco más de un año para que te repongas psicológicamente de la relación anterior. Las estadísticas prueban que hacerlo antes es desacertado.

• TE HAS SEPARADO DE TU CÓNYUGE Y AHORA DESEAS VOLVER. ¿Qué dicen las estadísticas? Que más de las tres cuartas partes de las parejas que regresan, vuelven a separarse. Me gustan las reconciliaciones, pero sin haber dejado el hogar, ni llegado a separarse.

- TU MARIDO ESTÁ ATRAVESANDO POR EL CLIMATERIO. Es la menopausia de los hombres y resulta que tu cónyuge llega tarde a casa, usa un perfume nuevo, ha cambiado su conducta, etc. Podemos tú y yo pensar que le teme a la vejez y quiere demostrarse que aún es capaz de impresionar a mujeres más jóvenes que él. No dudo de que esté al borde del adulterio, pero en lugar de esperarlo y hacerle reproches (lo que haces es alejarlo más de ti), cómprate ropa sexy, ve semanalmente a la peluquería y espéralo con tu nuevo *look*. Pacientes mías han seguido mis sugerencias y han conservado sus matrimonios.

15.

DEBILIDADES O FLAQUEZAS QUE DISMINUYEN EL VALOR DE UNA PERSONA

Como tú no tienes instintos como los animales, la Naturaleza te ha dado, en cambio, una variabilidad en tu conducta que es una de las cosas más admirables de la Creación. El animal depende de sus instintos para sobrevivir, es muy poco lo que puede aprender y en un tiempo brevísimo, pero cuando tú naciste carecías totalmente de entendimiento para valerte por ti mismo o por ti misma; necesitaste atravesar por un largo proceso de aprendizaje de lo que se encargaron tus padres o tutores, pero una vez que aprendiste se abrió ante ti un extensísimo abanico (más grande que el que pudieran fabricar los sevillanos) de posibilidades, de recursos y oportunidades para crecer y llegar a ser un ser humano completo si la voluntad te hubiera servido para algo. Tú, como los demás seres humanos, debías aprender a valerte, desenvolverte y llegar a las metas que te hubieras propuesto. Si tu educación fue buena, aprendiste que existen millares de puentes (como los de Venecia) para cruzar por encima de muchísimas cosas que no te convenían, al contrario, te perjudicaban. Esas cosas yo las llamo *flaquezas o debilidades* y caer en ellas suele producir malos resultados, entre éstos la neurosis o depresión. Como de eso se trata en este libro, a modo de ilustrarte tendremos paciencia tú y yo: yo para describirlas y tú para leerlas y reflexionar sobre las mismas. Las flaquezas disminuyen a quienes se dejan llevar por ellas. Son estas:

1. Dejarte llevar por tus emociones sin antes consultar con tu raciocinio.

2. Darle la razón a alguien que no la tiene.

3. Preferir a un hijo sobre otro.

4. Dejarte manipular por otras personas.

5. Ser esclavo de dependencias sentimentales.

6. Recurrir a la adulación como un medio para conseguir algún beneficio.

7. Relacionarnos con personas necias o de dudosa moralidad.

8. Dejarte llevar por tus propensiones torpes, por inclinaciones insanas.

9. Hipotecar tu dignidad con tal de conseguir algo que deseas o necesitas. A eso lo llamamos un pacto con el diablo, por un libro del escritor Daniel Webster.

10. Apoyar a alguien que no lo merece y a veces sin estar obligados a hacerlo.

11. Renunciar a la libertad por conveniencias económicas o de otra índole.

12. Establecer relaciones «amorosas» con alguien que tiene una gran diferencia de edad contigo.

13. Dejarte dominar por cualquier tipo de vicio.

14. Permitir que mancillen o atenten contra tu dignidad.

15. Hacer cosas que puedan perjudicarte.

16. Asumir papeles ridículos.

17. Aceptar encomiendas indignas.

18. Tratar de escapar de tus realidades recurriendo a cosas poco civilizadas.

19. Temor a pensar por ti mismo, por ti misma y depender de lo que piensen otros.

20. Solicitar o aceptar ayudas de personas que sabes que te menosprecian.

21. Dejarte llevar generalmente por la línea de menor esfuerzo.

22. No decir «no», cuando debes decir «no».

23. Sentirte incapaz de contradecir a quien está diciendo algo equivocado.

24. Dejarte dominar por hábitos perniciosos.

25. Tratar de justificar tus defectos o los de tus familiares y amistades.

26. Buscarle excusas a la ignorancia y a otras imperfecciones humanas.

27. No defender tus principios con el valor que se requiere.

28. Apoyar a dictadores, en lugar de apoyar decididamente a la Democracia.

29. Rechazar la ciencia y la tecnología que son las que han hecho avanzar el progreso del mundo.

30. Retraerte de la vida social por temor a medirte con otras personas.

31. Que no tengas suficiente control sobre tu carácter y temperamento.

32. Tener deseos irresistibles de comunicar chismes o rumores y hasta calumnias.

33. Renunciar a la lucha por temor al fracaso (como dije antes en otro capítulo).

34. Revelar el secreto de alguien que te lo ha confiado fiándose de ti.

35. Abandonar a su suerte a un familiar o amigo necesitado de ayuda.

36. Ser más mujer que madre o más hombre que padre.

37. Asumir el papel de víctima para que te tengan lástima o para manipular a otros.

38. Dar quejas, sabiendo que «la queja prostituye el carácter».

39. Meterte en lo que no te importa o en lo que no debes.

40. Esconderte detrás de un pseudónimo o enviar anónimos. Es cobardía.

41. Acostumbrarte a pedir prestado dinero o cosas; hábito pernicioso.

42. No saber retirarte a tiempo, como le sucede a muchos artistas que hacen el ridículo.

43. Envidiar el triunfo de otros.

44. Buscar protagonismo, tratar de ser popular sin tener los méritos.

45. Adjudicarte los méritos de familiares vivos o fallecidos, porque tú no eres capaz de tenerlos.

46. Robar ideas, apropiarte del talento o el esfuerzo de otros

47. Suplicar amor; actitud indigna en un hombre o en una mujer.

48. Tratar de retener al cónyuge aún a sabiendas de que ya no te ama.

49. Casarte con una persona por dinero, posición social, etc. Es venderte indignamente.

50. No intentar el crecimiento personal, la superación, la autorrealización.

51. No saber perder en buena lid.

52. Hablar mal de otras personas por detrás de ellas. Es una cobardía.

53. No rebelarte ante las injusticias: tuyas y de tu prójimo.

54. Hacerte cómplice de cosas mal hechas.

55. Vivir sin ética, sin valores, sin principios.

56. Practicar la ingratitud, la deslealtad o la traición.

57. No colocar al ser humano seguidamente de Dios, pues es más importante que todas las instituciones del mundo, como bien dijo Giovanni Pico della Mirandola.

58. Carecer de la capacidad de admiración y de asombro.

59. Traer hijos al mundo y no hacerlos crecer suministrándoles todas sus necesidades.

60. Dejarnos llevar por la vulgaridad, las cosas obscenas, como la pornografía.

61. Temer ser superiores, temerle a las grandes responsabilidades, padecer el «Complejo de Jonás», como lo llama el Dr. Abraham Maslow.

62. Dar limosnas, donaciones o contribuciones delante de otros para que admiren tu «generosidad».

63. Abusar de quien no pueda hacerte frente.

64. Aprovecharte de la desgracia de otros.

65. Defraudar a los niños, dar malos ejemplos a los jóvenes.

66. Abandonar nuestro hogar por un o una amante.

67. No cuidar de tu cónyuge, tus padres o hijos cuando han enfermado.

68. No hacer el bien pudiendo hacerlo. José Martí, patriota cubano, decía que Dios estaba en el bien

69. No hacer algo en beneficio de la Humanidad, cuando hemos recibido tantísimo de ella.

70. No colocar tu hogar por encima de todo lo demás, siendo como es la piedra angular de la humanidad, de la civilización.

No vayas a cometer el error de pensar que quiero hacer de ti una persona llena de santidad, para que te coloquen en el altar de una iglesia. Estas flaquezas son las tristemente célebres imperfecciones de hombres y mujeres que no transitan por vías anchas, sino que toman por atajos que tarde o temprano desembocan en callejones sin salida y malogran su oportunidad de vivir. Depende de ti vivir con paz y felicidad, o no salir de un estado depresivo que te amarga la existencia.

16.

SUGERENCIAS QUE AYUDAN A CURAR DEPRESIONES

Los antiguos semitas estaban convencidos de que el ser humano era malo por naturaleza y las religiones cristianas desde el principio de su creación en los primeros siglos, yo no sé por cuáles razones, mantuvieron esa idea y en uno de los Evangelios ponen en boca de Jesús que no hay una sola persona buena. Yo dudo mucho, pero mucho, de que Jesús pronunciara tal frase. Recuerden mis lectores que en aquellos lejanos tiempos Jesús no escribió absolutamente nada, predicaba en su idioma arameo y los apóstoles y discípulos escribieron lo que se acordaban de haberle escuchado, pero yo te pregunto: ¿puede una persona recordar y escribir al pie de la letra todos los sermones que escucha? Existen centenares de versiones del Nuevo Testamento y hay contradicciones porque es humanamente posible que la memoria nos traicione en algún momento. Por otra parte, muchos siglos después, Sigmund Freud, judío por su educación, mantuvo el criterio de que el ser humano es malo porque proviene del animal, siguiendo la teoría de Charles Darwin, también judío y practicante de la *Torá*. Pero hombres de gran talento, como el filósofo humanista Juan Jacobo Rosseau, creía que el ser humano era bueno por naturaleza. Baruch Spinoza, judío de extraordinario talento y un hombre de Dios, afirma que el mal no existe, que todo depende de la cultura a la que una persona pertenezca. Albrecht Ritschl, dice que el mal proviene de la ignorancia. Y yo digo lo siguiente: el ser humano cuando nace es imposible que sea malo, porque el mal se aprende, lo mismo que ser bueno. De acuerdo con nuestra educación aprendemos a ser buenos o malos.

¿Una persona con depresión es mala o es buena? Puede hacer cosas malas, pero normalmente es una persona buena. Los psicópatas, que son intrínsecamente malos, jamás padecen de neurosis porque para deprimirse hay que tener, generalmente, sentimientos de culpabilidad, saber que se han transgredido valores morales. Las personas buenas son las que se enferman cuando hacen algo malo, porque la conciencia se lo reprocha. Así es que tú debes de ser una persona buena que sufres, quizá, por que consideras que has hecho algo malo. Con arrepentirte, perdonarte y no volver a cometer errores que dañen tu conciencia moral, tienes cura.

No se te ocurra jamás repetir lo que dijo el predicador norteamericano Jimmy Swagger, cuando le sorprendieron con una prostituta, afirmando que no fue él sino el diablo que se metió dentro de él.

Comencemos por decir que el diablo no existe, que los espíritus no salen, que los muertos descansan donde están y que jamás los tales espíritus han salido. Me importa un bledo que el Antiguo Testamento hable del diablo, también habla de muchas cosas que no pueden probarse en la realidad. Además, la Biblia se lee teniendo en cuenta de que hay muchas maneras de entender lo que en ella se dice, pues por algo se estudia hermenéutica. Yo la estudié y sé de qué te estoy hablando.

Si vas a tener miedo, témele a los terroristas vivos, a quienes pueden hacer daño. Los pobres muertos descansan esperando el juicio de Dios.

Ahora que te hablé de espíritu, déjame contarte algo. El célebre mago Houdini se pasó muchos años demostrando que los espiritistas mienten todos. Y el célebre psicólogo Dr. Stanley Hall cuenta lo siguiente: 200 graduados universitarios visitaron adivinos, mediums, espiritistas, etc. buscando conectarse con un personaje inventado por él, al que llamó Betsy Beal. Todos los *medium* se «comunicaron» con Betsy Beal. ¡Alguien que nunca existió! ¿Y las alucinaciones, qué son? Alucinaciones. Si tú tienes alucinaciones, corre a ver a un psiquiatra porque tienes algo mucho peor que una depresión, algo que quizá no tenga curación. Una persona con depresión no tiene por qué tener alucinaciones. Si tuvieras un espíritu científico jamás tendrías depresiones: acepta únicamente lo que tú y los demás puedan comprobar.

Ahora voy a hacerte unas cuantas sugerencias para ayudarte a vencer tu estado depresivo.

1. No esperes demasiado de la vida.
2. No te compares con lo que fuiste o tuviste.
3. Construye tu felicidad con lo que tienes.
4. Haz ejercicios al aire libre: son muy necesarios.
5. Invéntate una motivación, un proyecto, un plan para que tu mente esté entretenida.
6. Haz algo, aprende algo que te conduzca a hacerte una persona superior.
7. Arrepiéntete vigorosamente de tus errores.
8. Acepta lo que no puedas cambiar.
9. No te juzgues con mucha dureza.
10. No los olvides, pero perdona agravios y ofensas.¡Que te sean indiferentes!
11. No te fanatices con nada ni con nadie.
12. Ábrete a nuevas experiencias y conocimientos y disfrútalos.
13. Busca y disfruta de todo lo que te resulte placentero.
14. Sé libre e independiente, dirige tu vida, no permitas que te la dirijan otros.
15. Trata de satisfacer tus necesidades
16. «Se vive solamente una vez, hay que aprender a querer y a vivir», como dice Consuelo Velásquez, la célebre compositora mexicana. Aprende y ama.
17. Como dice el Apóstol Pablo: Infórmate de todo, húrgalo todo, pero quédate con lo bueno.
18. Y como el Apóstol Pedro, da de lo que tienes. Todos tenemos algo o mucho que dar.

(Estimado Lector: Repito pocas cosas, pero algunas las digo más de una vez para poner énfasis en ellas, pues tú las necesitas. Soy consciente de que quiero subrayarte algunas cosas).

17.

MANERAS FALSAS DE ENFRENTAR LAS REALIDADES

Una realidad que tú tienes que aceptar es que si Dios hizo tu cerebro de una manera, su funcionamiento es algo que ni tú, ni yo, ni nadie en este mundo, puede cambiar. Si tú no eres capaz de enfrentar tus realidades de acuerdo a como funciona tu mente o cerebro, vas a distorsionar el funcionamiento de los neurotransmisores, química que hay dentro de las neuronas y va a terminar por elevar tu nivel de ansiedades dentro de tu sistema nervioso y la depresión estará agazapada en algún lugar esperando que enfrentes mal tus realidades. ¿Lo entiendes? En este universo existen leyes y un ordenamiento que todos tenemos que aceptar y seguir su curso. Ni los astrónomos o físicos, ni los líderes religiosos, ni los chamanes, nadie puede ir contra las leyes de la naturaleza. Si entiendes y aceptas esto que te he explicado, mejor para ti, pues de lo contrario vas camino del abismo.

El Dr. Sigmund Freud descubrió formas de comportamiento equivocadas a las que llamó MECANISMOS DE DEFENSA o bien PSICODINAMISMOS. Y voy a tomarme el trabajo de escribírtelos aquí porque estoy completamente seguro de que algunos de ellos tú los estás utilizando y tienen que ver con las depresiones. Antes de comenzar esta lista de diecisiete mecanismos de defensa, voy a explicarte a qué se deben. Comienzo por decirte que la frustración (la madre de casi todo lo malo que en el mundo existe) surge cuando te resulta muy difícil aceptar la

73

realidad y adaptarte a ella: gran generadora de ansiedades. Entonces tratas de escapar de esa realidad y recurres a lo que llamamos Mecanismos de Defensa que es una manera aparentemente fácil, pero falsa de enfrentar la susodicha realidad. Comencemos.

RACIONALIZACIÓN. La persona trata de demostrarse a sí misma que su conducta es «racional» y justificable y, por consiguiente, merecedora de la aprobación del yo y de la sociedad en general.

REPRESIÓN. La persona ha hecho algo que considera sucio y esto le produce sentimientos de culpabilidad, entonces cada vez que el recuerdo de lo que ha hecho le viene a la conciencia, a la mente consciente, trata de reprimirlo porque le resulta doloroso, vergonzoso, desagradable; le afecta su autoestima, disminuye su autorrespeto, se siente mal a pesar de que tal vez nadie lo sabe, sino ella misma. Éste es el mecanismo que más depresiones produce y suele proceder, casi siempre, de nuestra niñez o temprana adolescencia. Lo que tú reprimes no se destruye ni desparece, sino que se aloja en tu mente inconsciente y te resulta muy difícil reencontrarlo (en la mente inconsciente pueden alojarse hasta un millón de recuerdos); únicamente los psiquiatras y los psicólogos clínicos pueden hacerlo. Pero no te angusties, en este libro yo estoy empleando psicoterapias que no requieren indagar mucho en tu pasado.

PROYECCIÓN. En este mecanismo la persona culpa a otros de lo que ella misma es culpable, es decir, proyecta sus sentimientos en otras personas como en un juego de niños llamado «allí fumé». La persona que usa este mecanismo de proyección sabe que sus impulsos, sus pensamientos y sentimientos son malos, indignos o peligrosos. Culpa a otras personas de lo que ella misma es, de manera que pueda alejar de su conciencia la responsabilidad de sus pensamientos, sentimientos e impulsos. (Hay algo que te podría sorprender, así como también a millones de otras personas, y es que las personas que son celosas usan este mecanismo de defensa de proyección para acusar a otros de hacer lo que ellas mismas hacen o desearían hacer. ¿Increíble? Parece increíble, pero es científica y estadísticamente cierto).

FORMACIÓN DE REACCIONES. Aquí tenemos a una persona que tiene deseos peligrosos o vergonzosos (sucios, indignos, libidinosos, etc.) y, ¿qué es lo que hace? Trata de hacer todo lo contrario de lo que siente y desea. Por ejemplo, condena públicamente lo que en privado siente y practica. Es una manera de formar una reacción que le disminuya el nivel de ansiedades. Si no ama a sus hijos, por ejemplo, los cuida con gran celo para disimular ante los demás y para acallar sus verdaderos sentimientos inaceptables.

IDENTIFICACIÓN. Suele ocurrir en personas que no poseen méritos propios, ni prestigio, carecen de valor en muchos órdenes y esto les hace sentir frustradas, se sienten infelices y se deprimen al saber lo poco que son. ¿Entonces, qué hacen? Se identifican con alguien que tenga prestigio, méritos, reputación y, dicen cosas así: «Yo soy amigo del alcalde de la ciudad», «del diputado tal», «del artista cual». «Un abuelo mío fue un héroe en la guerra». Es decir, como carecen totalmente de méritos propios tratan de identificarse con alguien que los tenga.

REGRESIÓN. Este mecanismo significa que la persona retrocede a un nivel de desarrollo con respuestas menos maduras y generalmente a un nivel inferior de aspiraciones. La persona puede adaptarse a la realidad de ahora, de su presente y mentalmente desea regresar a una etapa inferior. Se han dado casos de orinarse en la cama como cuando era niño, hablar como un niño o niña. La persona no es feliz en su etapa actual y se siente impulsada a tratar de revivir una etapa anterior cuando piensa que fue realmente feliz o se sintió mejor. De ahí que regresa mentalmente. Hemos visto a personas mayores chuparse el dedo, coleccionar muñecas, hacer cosas que generalmente hacen los niños.

COMPENSACIÓN. Es la ocultación de debilidades, destacando rasgos deseables o compensando la frustración en un área determinada por excesiva satisfacción en otra. Ejemplo: «Yo no tengo título de abogado o de médico (etcétera) pero yo sé más que muchos de ellos». «Aquí han venido ingenieros agrícolas, pero del campo saben menos que yo». Y así por el estilo.

INTROYECCIÓN. Este es un mecanismo donde la persona incorpora valores de otra u otras personas haciéndolos suyos. Hace suyas las opiniones de otros como si fueran de ella. (Me han robado esa idea... ese ha sido siempre mi pensamiento). Cierto jovencito de Miami se identificó tanto con la actriz y cantante española Sara Montiel, que llegó a sentirse ella misma. Se vestía como ella y le doblaba la voz, por lo que le llamaban «Sarita» y él se sentía eufórico, orgulloso, triunfante. Dicen que algo por el estilo le pasó a quien mató a John Lennon, el famoso componente de los *Beatles*.

ACTUACIÓN. Es reducir la ansiedad suscitada por deseos prohibidos, permitiendo su expresión. Quiero entender que Freud quiso decir que la persona trata de darle salida a esos deseos actuándolos, encarnándolos.

NEGACIÓN DE LA REALIDAD. Cuando una realidad es desagradable, para proteger al yo la persoma se niega a percibirla o a enfrentarse con ella. «No, eso no me puede sucedere a mí». «No, eso no puede ser verdad». «Imposible, mi marido sería incapaz de engañarme con otra mujer, es mentira lo que andan diciendo». La reina Juana de Castilla, llamada «La Loca», se negó a aceptar que su esposo, Felipe el Hermoso, había fallecido y no quiso sepultarlo. Negar la realidad es algo así como una forma de enajenación que puede ser de carácter transitorio o permanente.

FANTASÍA. Es la satisfacción de los deseos fustrados por éxitos imaginarios. Es decir, la persona se inventa éxitos o triunfos que en realidad no lo son, pero necesita inventárselos para calmar sus inferioridades, sus frustraciones o sus complejos.

DESPLAZAMIENTO. La persona descarga sentimientos reprimidos, generalmente de hostilidad, sobre objetos menos peligrosos que los que inicialmente suscitaron las emociones. Es decir, la persona desplaza un pensamiento amenazante por otro menos peligroso.

ANULACIÓN. Contrarrestar deseos o actos inmorales por medio de la expiación (borrar las culpas por medio de sacrificios, como golpearse, flagelarse, castigarse).

SUBLIMACIÓN. Consiste en desplazar las pulsiones o impulsos hacia logros sociales valiosos, por lo que es socialmente adaptativa. Hasta puede llegar a convertirse en fuente de obras maestras culturales y artísticas. Leonardo da Vinci trató de sublimar a su madre en las *madonnas* que pintó, incluyendo a la célebre *Mona Lisa,* esposa de *Francesco del Giocondo.* Expertos florentinos de la época afirman que la misteriosa sonrisa de *Mona Lisa* es la de la madre de Leonardo, porque siendo hijo ilegítimo, su padre, hombre aparentemente rico, se lo quitó a su madre, una mujer pobre y Leonardo nunca pudo olvidarla, sublimándola con sus pinceles. Esta versión es la que más veracidad tenía en aquellos años iniciales del Renacimiento y la que yo, como psicólogo, acepto por la experiencia de mi profesión. La sublimación es una forma de desplazamiento.

CONDENSACIÓN. Este es un término introducido por Sigmund Freud para designar un proceso que tiene lugar en la elaboración del sueño.

INTELECTUALIZACIÓN. Proviene de la doctrina filosófica que afirma la preeminencia de los fenómenos intelectuales sobre los volitivos (la voluntad) y afectivos,

AISLAMIENTO. Consiste en que la persona intenta aislar un pensamiento o una conducta. Corta el nexo con el resto de los pensamientos o de la conducta. La persona deprimida o psiconeurótica echa mano de este mecanismo de compromiso con el objeto de neutralizar la angustia. Más claro: Freud dice que este mecanismo de defensa permite la separación de un objeto (idea, experiencia o recuerdo) de las emociones asociadas a él, resultando una impasibilidad externa hacia él mismo.

Volviendo al principio, los Mecanismos de Defensa, en la teoría psicoanalítica, son métodos a los que el yo recurre para disminuir la angustia al distorsionar inconscientemente la realidad. «Es el precio que pagamos —dice Freud— por ser civilizados». La angustia es como una nube que se cierne sobre cualquiera de nosotros en un momento dado y que no es fácil combatirla. Es como cuando experimentamos algún sentimiento indefinido, sin saber por qué. Freud creía que el yo se protege contra la angustia gracias a lo que él llamaba mecanismos de defensa. Pero yo digo que es una manera falsa de tratar de adaptarse a la realidad, porque nuestros neurotransmisores no se dejan engañar y cuando estos mecanismos de defensa son utilizados por la persona, alteran la química del cerebro, generan niveles altos de ansiedades y seguidamente puede surgir la depresión.

18.

UN PLANETA, MUCHOS MUNDOS Y MILLONES DE FORMAS DE VER LA VIDA

Muchas depresiones surgen por problemas y conflictos parecidos, pero depende de donde reside una persona para que el origen de su neurosis posea particularidades muy propias del país, la ciudad, o la región. Allá por el año 1949 emigré a México y encontré un empleo como visitador médico o viajante de medicina y el laboratorio me envió a visitar a los médicos y farmacias de poblados enclavados en una zona muy montañosa. Para mí, nacido y criado en la ciudad de La Habana, aquellos lugares me parecían el fin del mundo, pero la necesidad no me permitía dar marcha atrás. Me levantaba a las cinco de la madrugada al igual que los viajantes de otros laboratorios para desayunar en la ciudad de Toluca, capital del Estado de México, y salir temprano en ómnibus medio destartalados, algunos con asientos de madera, para hacer nuestro trabajo con las luces del día, pues la noche en las montañas no resulta cosa agradable a los forasteros.

Aquellos poblados, pobres y para mí desolados, contaban con una población india que no siempre hablaban español, se alejaban de los forasteros y no podíamos entablar conversaciones con ellos y menos compartir socialmente. Las únicas personas que nos hablaban eran los médicos —cuando los había—, los boticarios y algunos comerciantes. Generalmente no comíamos en los poblados, sino cuando regresábamos a Toluca, pues el temor por la falta de higiene y comidas cuyo menú no nos resultaba agradable, hacía que vigilásemos los horarios de los ómnibus de manera de no perderlos, ya que en aquellos lugares y en aquellos años casi ningún poblado tenía alojamientos comerciales. Si nos sorprendía la noche, nos sentíamos perdidos, temiendo por nuestras vidas.

En las montañas el silencio es casi total, los indios vestidos de blanco con sus sombreros nos miraban con recelo y si caminábamos hacia ellos, parecía que huían, pues no deseaban tener contacto con nosotros los blancos. Pero por los médicos, los boticarios y algunos comerciantes nos enteramos de la psicología de aquellas personas huidizas, sobre todo las que residían en los campos. Y sucedió que en aquellas décadas se desató en México una epidemia de fiebre aftosa que atacaba al ganado y vacas y bueyes morían, por lo que los norteamericanos de la frontera solicitaron permiso de las autoridades mexicanas para comprarle a los indios sus bueyes y vacas contagiadas, matarlos y sepultarlos para que la fiebre aftosa no llegara a los estados de Arizona, Nuevo México y Texas. Yo me interesé y acompañé a unos técnicos norteamericanos y mexicanos, pero acompañados por fuerzas del ejército, porque los indios estaban tan identificados con sus animalitos que por mucho que se les explicaba la necesidad de matarlos para detener la epidemia, ellos se negaban y sacaban sus machetes para enfrentarse a las autoridades. Se les explicaba que recibirían a cambio dinero para que compraran vacas y bueyes sanos, pero aquellos animales eran como parte de su familia y les parecía un sacrilegio y un asesinato sacrificarlos. Entonces los soldados sacaban sus rifles y los obligaban a aceptar el mandato de las autoridades, y ¿qué sucedía? Se deprimían y a algunos se les saltaban las lágrimas. La lógica, el razonamiento y las advertencias, nada les satisfacía porque no entendían la realidad por su ignorancia. Aquellos bueyes araban la tierra donde sembraban sus milpas y las vacas les proporcionaban la leche. Yo diría que aquellos animales eran casi sagrados para ellos y se deprimían ante una realidad que no entendían.

Me costó muchos años entender profundamente la conducta de aquellos indios cuando estudié psicología, porque comprendí que el mundo es ancho y ajeno, como decía el finado escritor

Ciro Alegría. Un campesino de España, de Chile o Argentina se enfrenta a una realidad como la que he descrito y estoy completamente seguro de que la entendería y cooperaría. Pienso que años después, cuando México expandió la educación a muchas más áreas apartadas de ese gran país, los indios actuarían en forma diferente y no se deprimirían. ¿Cuál es la moraleja? Que una persona educada y una ignorante no pueden comprender igualmente una misma realidad. Las depresiones tienen mucho que ver con el entendimiento de la persona, con su educación, su cultura, su manera de construir en su mente la realidad que tiene frente a sus ojos.

Las religiones y las doctrinas políticas manipulan la manera de pensar de quienes creen en lo que les dicen, porque se trata de personas manipulables, que no piensan, que prefieren aceptar que otros piensen por ellas. Los Testigos de Jehová, los Adventistas del Séptimo Día, los Pentecostales y los miembros de las Asambleas de Dios se fanatizan de tal manera que no son capaces de utilizar el raciocinio y renuncian a la inteligencia para dejarse llevar por emociones perniciosas que distorsionan las realidades a favor de doctrinas divorciadas de las auténticas necesidades humanas. Y he mencionado sólo algunas religiones, pero casi todas tratan de borrar el raciocinio de sus seguidores. Únicamente dentro de la Democracia es donde la persona humana puede desarrollarse plenamente si así lo desea, porque tiene libertad para que pueda pensar por su cuenta.

Muchas depresiones tienen que ver con nuestras creencias, porque al distorsionar la realidad, afectan la química que hay dentro de sus neurotransmisores y elevan los niveles de ansiedad.

Quiero enviar un saludo muy fraterno a aquellos lugares que visité, en mi juventud, a finales de la década de los años cuarenta, como el Valle del Bravo, Tenango del Valle, Tenancingo, Mexicalcingo, Ixtapan de la Sal, Toluca y otros cuyos nombres escapan a mi memoria, donde me sentí más cerca de la Naturaleza como nunca antes ni después. Aquella cordillera de montañas, el silencio casi absoluto, la paz, la sencillez, el sentirme más cerca del cielo, pensar en aquellos indios que vivían con un mínimo de necesidades y sin embargo eran felices excepto cuando la enfermedad o la muerte tocaban a sus puertas. Si extrañaban al forastero y le huían no era porque nos rechazaban, sino porque es algo casi normal que lo nuevo no nos sea fácil de aceptar de inmediato. Recuerdo aquel tiempo y aquellos lugares y lo que lamento es no haber podido establecer diálogo con ellos para conocerlos mejor y demostrarles mi fraternidad, porque mientras más humildes son, más amor y ayuda necesitan. En México hay muy buenos psicólogos, pero si me pidieran abrir una consulta en los pueblos mencionados, trabajaría sin cobrar dinero para retribuir a ese gran país que tanto quiero, mi gratitud. Porque me acogió con amor fraterno en un momento de mi vida, cuando mi economía se parecía a la epidemia de fiebre aftosa.

19.

UN SISTEMA DE VALORES EMPÍRICOS TRATANDO DE DIAGNOSTICAR, NO LA ENFERMEDAD, SINO LA SALUD

—Qué creatividad has tenido, cuántas ideas e iniciativas propias.

—Cuánta fortaleza reside en ti.

—Cuánta educación has recibido.

—Cuántos éxitos y logros has tenido.

—Cuánta belleza has presenciado.

—Cuántos problemas y conflictos has resuelto.

—Cuánto bien has prodigado a otros.

—Cuántos deseos e ilusiones has tratado de llevar a la realidad.

—Cuántas veces te has enamorado.

—De cuántos placeres has disfrutado.

—Cuánto has amado.

—Cuánto éxito has tenido en llevarte bien con otras personas.

—De cuántas alegrías has disfrutado.

—Cuántas veces te has sentido superior, autorrealizado.

—A cuántas personas has abrazado fuertemente, con amor limpio, con fraternidad.

—A cuántas personas has dicho: «Eres muy importante para mí».

—Cuántas veces dijiste a alguien: «Te quiero mucho».

—O cuántas veces dijiste a alguien: «Me simpatizas mucho».

—Cuándo dijiste: Me siento muy bien cuando estoy cerca de ti.

—Me complacería compartir más actividades contigo.

—Cuántas veces pensaste que para disfrutar de momentos felices el dinero fue, tal vez, lo menos importante.

—Sin que te lo solicitaran, cuantas veces ayudaste o le resolviste un problema a alguien.

—Cuántas veces perdonaste a alguien que te ofendió.

—Cuántas veces te perdonaste por un error tuyo y te prometiste no repetirlo.

—Cuántas veces resististe una manipulación y rechazaste participar de una acción injusta.

—Cuántas veces te esforzaste en vencer un temor.

—¿Has tratado de hacer feliz a tu cónyuge y a otros familiares?

—¿Te has sentido siempre feliz contigo mismo?

—¿Reparas más en los defectos de los demás o en sus virtudes o partes buenas?

—¿Cuántas veces le has sido infiel a los ideales de la Democracia?

—¿Cuántas veces censuraste a los dictadores políticos, religiosos u otros?

—¿Has tratado de hacer felices a quienes te rodean?

—Cuando abandones la vida, ¿qué utilidades o beneficios dejas a las próximas generaciones?

—Haciendo un recuento de tu vida, ¿qué ha predominado en ella: el egoísmo o la filantropía?

—¿Qué has hecho para vencer la ignorancia con la que nacemos y cuántas horas has dedicado para estudiar, aprender, cultivarte y ser mejor y más útil como persona?

—Tu familia, amistades y conocidos, ¿tienen razones para sentirse orgullosos de ti?

—¿Alguna vez fuiste candil en la calle y oscuridad en tu casa?

—¿Llegaste a la vida para comprenderla y actuar conforme o para disfrutarla egoístamente, sin importarte la felicidad de tu prójimo?

—¿Has vivido dentro de una casa o departamento, o dentro de un hogar?

20.

LA FELICIDAD NO TE CAE DEL CIELO

Indudablemente que muchas personas nos parecen muy felices y las suponemos disfrutando de un estado de felicidad más o menos permanente. Pero Libertad Lamarque, la gran cantante argentina, decía «no vayas a casa de naiden, Facundo, que naiden te dará na». Y recomendaba: «Trabaja, Facundo y vive de tu sudor, que así el pan que te comas, tras la faena sabrá mejor». ¡Cuánta verdad encierran estas palabras del autor de esta composición musical! Y me gusta decir otra parte de la letra, esa que dice: «El cielo se ha puesto negro, Facundo, la tierra está abochorná, ya no hay naiden que la cuide, Facundo, la tienen abandoná, porque casi todo el mundo se ha ido pa la ciudá, déjate de cuento, negro...».

El campo es duro para el trabajo, porque el campesino debe levantarse en la madrugada, casi de noche, uncir los bueyes y comenzar la tarea de arar, abriendo surcos donde las semillas serán más tarde depositadas. El sol asciende en el horizonte y el calor se hace casi insoportable, al cuerpo se le pide un rendimiento grande y se está expuesto a enfermedades como parásitos o lombrices en el estómago, hemorroides, tumores en brazos o piernas, insolación. Tomar agua de pozos cuya higiene suele brillar por su ausencia, heridas frecuentes y, como retribución, si llueve, se recogen cosechas que a veces se venden bien pero casi siempre se venden mal. El campo es muy atractivo para quienes lo trabajan en él, pero Facundo tenía sus razones para sentirse desanimado.

En las ciudades los empleos suelen ser menos rigurosos, mejor pagados que en el campo, la asistencia médica es inmediata y hay menos enfermedades, además de que los entretenimientos son mayores. La civilización se da dentro de las ciudades, no en los campos, por eso el mundo ha avanzado científica y tecnológicamente. Casi nunca hay éxodo de ciudades hacia el campo, en cambio las ciudades aumentan su población por campesinos que viven empobrecidos en los campos. Se habla de que los campesinos gozan de mejor salud que los de la ciudad, algo completamente incierto. Yo recuerdo que los hospitales de La Habana: *General Calixto García* y *Reina Mercedes* estaban llenos de campesinos enfermos, incluyendo enfermedades como neurosis o depresiones. A otros, en cambio, les iba bien porque tenían mejores tierras, agua y equipos de regadío, así como algún dinero para invertir. De ninguna manera me refiero a los campesinos de Estados Unidos o Alemania, que hasta son ricos, pienso en los de los países del llamado Tercer Mundo, que han sufrido siempre de pobreza y miseria, porque los gobiernos no los ayudan, al contrario, permiten que los terratenientes los exploten y si llegasen a rebelarse, las fuerzas armadas los reducirían (y todavía los reducen) a la obediencia con sus fusiles y bayonetas. Llegan los predicadores de cualquier religión y les hablan de la felicidad que disfrutan quienes se convierten al cristianismo, felicidad que existe en el cielo, un cielo que podrán ver cuando se mueran, porque antes lo que pueden ver es miseria.

Mis lectores deben haber visto los documentales sobre los países africanos, asiáticos y americanos, donde el único cielo que tienen es el del placer sexual, razón por la cual procrean tantos hijos, que suelen morir temprano por las enfermedades. No, la felicidad no viene del cielo y no siempre las circunstancias la permiten, hay que construirla con lo poco que tengamos, porque, además, la felicidad es una actitud frente a las realidades de la vida, una manera resignada de verla, de aceptar las tremendísimas limitaciones de una sociedad injusta, cruel, indiferente, que no practica la filantropía ni el amor al prójimo. Los psicólogos norteamericanos del Estado de Illinois, han insistido en que una de las mejores psicoterapias para curar las depresiones es proporcionar ocupación, empleo a las personas de forma que puedan cubrir todas sus necesidades básicas. Ésto se ha hecho con personas deprimidas, porque no hay cosa que deprima más a un padre de familia que no tener un empleo para proteger a su familia. Por eso los gobiernos que roban las riquezas de sus pueblos, más que delincuentes son criminales, pues muchas personas mueren por falta de asistencia médica, por hambre y por suicidio.

Este libro se ve obligado a decirte todas estas realidades de manera que tu entiendas que no vives en un mundo justo, humano o cristiano, y no debes esperar del cielo o del gobierno, de la suerte o del destino la felicidad que necesitas. Si tus circunstancias no te son favorables, si te sientes con depresión, comienza por aceptar tus realidades y trata de convivir con ellas, como decía Federico García Lorca. Si puedes trascenderlas, inténtalo y recurre a toda la fortaleza que seas capaz de extraer de ti mismo, de ti misma. Pero si estás atrapado dentro de circunstancias deplorables, resígnate si es que no existe una alternativa salvadora, emancipadora. Por eso escribo este libro para las personas cultas de Barcelona, Madrid, o Valladolid, Buenos Aires, Ciudad de México, Santiago de Chile y hasta Munich, Alemania, donde residen españoles que han leído otros libros míos publicados por EDICIONES 29, de Barcelona, pero también escribo para lectores de pueblos más aislados, donde el desarrollo industrial no existe y necesitan una respuesta para sus depresiones. Como yo he conocido alrededor de cuarenta países, creo tener una idea bastante clara de las enormes diferencias que existen en cuanto a religión, política y economía. Pienso en el ser humano y en su entorno y busco diseñar una psicoterapia que alcance por igual a unos y a otros. Puedo resumir este capítulo diciéndote que la vida humana no es fácil, que pueden suceder millares de acontecimientos y que para no enfermarte, no deprimirte o enajenarte, debes aceptar tus realidades, adaptarte a ellas y encontrarle un sentido a tu vida, sin que por esto dejes de continuar luchando por construir una vida mejor donde encuentres la felicidad que te sea posible conseguir o sentir. Yo provengo de una familia pobre, mis padres eran maestros de escuelas públicas y percibían salarios bajos; mis pantalones tuvieron muchas veces que zurcirse, así como mis camisas, cuando los zapatos se me rompían por la suela, les ponía un cartón por dentro para no mojarme los pies o para que las piedrecitas de la calle no me produjeran dolor. ¿Y sabes una cosa?: aquellos años fueron para mí muy felices porque tuve muchos amigos para jugar; me gustaba asistir a la escuela pública, ver las películas de Carlos Gardel, Imperio Argentina, o las de Errol Flynt cuando hacía de aventurero. No tenía dinero, pero mi vida tenía sentido y fui muy feliz. En aquella época jamás me pasaron por la mente pensamientos depresivos.

21.

APRENDIENDO A PREVENIR O EVITAR LAS DEPRESIONES

Enemigos del equilibrio emocional, que contribuyen a la depresión:

1. HUIR, ESCAPAR
Huir de la realidad porque tememos enfrentarla. Es un acto irresponsable por nuestra parte, es escapar de nuestras obligaciones. Se escapa a través de bebidas alcohólicas, de drogas, cambiando de lugar, metiéndonos dentro de ciertas creencias; haciendo cosas para atolondrarnos.

Antídoto: Enfrente sus realidades, sus deberes y sus obligaciones. Enfrente la adversidad con el mejor talante posible. No trate de engañarse, inventándose racionalizaciones, ni se refugie en la suerte, el destino, el horóscopo, etc.

No tome sus problemas demasiado en serio, piense que pueden o deben ser resueltos. Acepte que la vida no está hecha a nuestra medida y que todo no nos resultará favorable o beneficioso. La realidad se acepta y se enfrenta.

2. TEMOR
No le tenga miedo al miedo. Los miedos son aprendidos y lo mismo que se aprendieron, se pueden desaprender. Para desaprender los miedos, debemos estudiar sus causas y enfrentarlas. Se

necesita valor para vivir. Valor y voluntad. No le tenga miedo a las preocupaciones, analícelas, enfréntelas. Se dice que al entender el temor, ya casi se vence.

3. EGOÍSMO

La codicia, el materialismo, la avaricia, la prepotencia, exigir en lugar de dar, absorber demasiado, abarcar demasiado, o esperar demasiado de los demás... todo esto es falta de generosidad por nuestra parte y un camino hacia estados depresivos. No haga favores esperando compensación, no ayude esperando gratitud, no espere retribuciones o recompensas. Todo esto conduce a la decepción y a la depresión. Sea una persona bondadosa, piadosa, compasiva al estilo cristiano

4. ESTANCAMIENTO

No caiga en rutinas, no tenga una vida tediosa y sin alegría. No padezca de «rutinitis». Ésas son formas de estancamiento y caminos hacia la depresión. Experimente la variedad, invéntese motivaciones creativas o recreativas. Estudie, supérese, aprenda algo nuevo. Cultívese, explore la vida, la historia, el mundo en el cual vivimos. Deje la vida de los fracasados y únase a los que se abren a nuevas y retadoras experiencias.

5. SENTIMIENTOS DE INFERIORIDAD

Eleve su autoestima, crezca como ser humano, adopte el lema del ejército de los Estados Unidos: «Be all you can be with the US Army». No espere que el reconocimiento de lo que usted vale provenga de otras personas, sino que provenga del convencimiento de usted mismo, de que vale como ser humano, que usted se ha superado para llegar a ser una persona superior. Tenga confianza en Ud. mismo. La persona que no tiene confianza en ella misma, se siente deprimida. Confíe en su propia superación. Ud. sabe tomar decisiones.

6. NARCISISMO

No sea una persona narcisista, que es lo contrario del complejo de inferioridad, pues el narcisita para elevar se autoestima, se considera superior, aunque en el fondo es una etiqueta inventada por la persona misma para engañarse y engañar a otros. No seas engreído. No te enamores de ti mismo. No te creas un sabelotodo.

7. AUTOCOMPASIÓN
Terrible cosa es tenerse compasión uno mismo. Son personas que les gusta que les tengan lástima. Quienes tienen autocompasión, viven una vida miserable.

8. OCIOSIDAD
Aburrimiento, indiferencia general, apatía, hábito de perder el tiempo, soñar despierto, soledad. Mi madre decía: «Mente ociosa es taller del diablo».

9. INTOLERANCIA
Eso es estrechez mental, presuntuosidad, prejuicios de cualquier tipo, reacciones emotivas inestables.

10. ODIO
Deseos de venganza, tendencias persecutorias, crueldad, gusto por actitudes guerreras, desprecio y violación de los derechos de otros, falta de respeto por los demás. El odio une de una manera perniciosa y venenosa para quien siente el odio.

El antídoto es perdonar, o practicar el amor en alguna forma o medida. El amor embellece nuestra vida, produce equilibrio emocional, aleja las depresiones.

22.

ES DEPRESIVO NO TENER UN ESPACIO EN TU SOCIEDAD

No importa donde residas: un pueblo pequeño, una población importante, una ciudad, donde quiera que estés necesitas tener un espacio social. Significa que eres una persona bien aceptada, que no te rechazan y hasta se te facilitan las cosas porque no tienen nada contra ti. La persona que se significa en contradicción con los valores y costumbres de un conglomerado social, normalmente es rechazada, pero que disfrutes del referido espacio depende de muchas cosas que tú no hagas o representes. Seguidamente te describo dieciséis comportamientos, generalmente, inaceptables. Observa que no todas las sociedades humanas son iguales y sus comportamientos pueden tener un significado distinto en cualquiera de ellas. Imagínate que yo te describo las costumbres y prejuicios de cuarenta países que he visitado. Este libro tendría que tener alrededor de mil páginas y te aburrirías de tener que leer tanto. Además, no es necesario porque lo que necesitas es vencer tu estado depresivo y se supone que yo sé hasta donde tengo que llegar con los argumentos de la psicoterapia. La sociedad nos presiona y le tememos a sus juicios porque tiene el poder de desalojarnos del espacio que tenemos en ella. Todas las sociedades tienen escrúpulos, un criterio propio sobre la moral, las costumbres, el comportamiento individual y colectivo, por eso la persona particular se enfrenta a una dicotomía: 1) Si tus realidades difieren de lo que se espera de ellas (como la sociedad suele interpretarlas), te expones a la marginación, a la condena y al aislamiento, cuando no a la expulsión. Y, 2) que tengas el valor de resistir las presiones, que te importe poco o nada la opinión de la mayoría y vivir a tu manera, algo que hacen algunas personas que carecen de escrúpulos. Pero, ¿cuál es el precio de desafiar a tu sociedad, a la mayoría, si eres una persona que te respetas?: Un estado depresivo.

Veamos algunas causas de marginación:

a) Discrepar de las actividades públicas de la mayoría.

b) Ser extranjero o forastero, porque eres un extraño y esto produce desconfianza.

c) Saber que mantienes relaciones sexuales fuera del matrimonio.

d) Tener hijos fuera del matrimonio.

e) Sospechar que padeces una enfermedad contagiosa.

f) Hablar o pensar de manera diferente a la mayoría.

g) Vestir mal.

h) Tener poca educación.

i) Que tengas un comportamiento inaceptable.

j) Que sospechen que tienes alguna actividad ilícita.

k) Tener una vida licenciosa.

l) Practicar una religión mal vista.

m) Inclinarte por ideas políticas mal vistas o condenadas por los demás.

n) Provenir o pertenecer a un nivel social inferior o modesto.

23.

ESPOSAS MALTRATADAS
POR SUS MARIDOS

Desde que escribo libros para EDICIONES 29 he recibido muchas cartas de mujeres que se quejan del maltrato físico o verbal por parte de sus maridos; son cartas que provienen tanto de España como de países iberoamericanos y también de Estados Unidos. Es decir, no es un problema específico de un país, sino una conducta que se produce en muchísimos lugares del mundo. Por ejemplo, cuando la crisis de Afganistán la televisión nos traía el infortunado espectáculo de los hombres pegándo a las mujeres en las mismas calles. Los hombres musulmanes tienen una opinión muy pobre de las mujeres y no las tratan civilizadamente, pero también hay cristianos que son iguales o peor que los musulmanes. No voy a escribir historia, pero sabemos que las mujeres han tenido que luchar mucho, a lo largo de 2.000 años, para que se las respete y considere. La mujer es nuestra madre, hermana, hija y las demás mujeres también lo pueden ser.

La psicología ha estudiado a los maridos que suelen maltratar a sus esposas y se piensa que ese hombre abusador, cuando niño o joven, era un cobarde y le tenía miedo a muchos de sus compañeros de escuela y se frustraba y, para desahogar su cobardía, buscaba a compañeros más débiles para abusar de ellos, desafiándolos y hasta golpeándolos despiadadamente. El hombre que le pega a una mujer es un cobarde, porque de niño y de joven lo fue. Le pega a las mujeres porque físicamente la mujer es menos fuerte, o porque ella no puede hacerle frente porque no tiene hacia donde ir sola o con sus hijos. Una infeliz portuguesa me escribe para decirme que su marido la maltrata, pero ella no sabe cómo enfrentar la vida y por ese pensamiento soporta al energúmeno y sus maltratos. Se siente atrapada dentro de una situación que teme enfrentar y eso le produce un estado depresivo. ¿Qué hago?, me pregunta. En los Estados Unidos abunda la violencia doméstica en proporciones numerosas y existen muchísimos lugares donde una mujer puede acudir y recibir ayuda inmediata. Yo, por ejemplo, hablo todos los jueves en un programa de gran audiencia por la radiodifusora más poderosa y de mayor audiencia del Sur del Estado de Florida y escribo semanalmente en un periódico muy leído. En ambos lugares ofrezco los teléfonos y los nombres de las organizaciones que ofrecen ayuda gratuita a las esposas maltratadas. En España, Argentina, Venezuela, México y demás países, tienen que existir organizaciones privadas o gubernamentales que ofrezcan este tipo de ayuda a las mujeres víctimas de violencia doméstica. Como yo, desde este libro, no puedo librar a una mujer de tales abusos, puedo hacer recomendaciones propias de la dignidad humana. Son opciones que puede una mujer explorar. Dialogar con el compañero y tratar de convencerlo de que ese tipo de conducta es inhumana. Si él insiste, entonces no lo amenaces, ve directamente a la policía y denúncialo, pero una vez que lo hagas, no des marcha atrás. La policía te enviará a una de esas organizaciones especializadas en violencia doméstica. La razón de que no vuelvas atrás y lo perdones, es que corres el peligro de que, en venganza, pueda herirte y hasta causarte la muerte. Además, puede ocurrir que tú misma quieras tomarte la justicia por tu propia mano y de víctima te conviertas en victimaria.

Hay hombres que aprenden a rectificar sus conductas, pero la experiencia que tenemos los consejeros matrimoniales es que muy pocos maridos cambian su conducta, a menos que acepten la ayuda profesional de un psicólogo y venzan sus frustraciones. Si tu marido no acepta la ayuda profesional, continuará pegándote, maltratándote. Soy enemigo del divorcio, pero hay situaciones que piden y exigen el rompimiento, la separación. Un refrán español dice: «Es mejor estar solo que mal acompañado». Además, sería posible que encontraras a un compañero decente y considerado que reconozca el valor que tú tienes. Conozco muchísimas personas que se han casado por segunda y hasta por tercera vez y han sido muy felices. No te dejes maltratar, busca ayuda oficial y date a respetar con la ayuda de las autoridades. No cometas el error de tomarte la justicia por tus manos. Ese canalla que te pega no merece que vayas a la cárcel. Dios te dio la vida para que trates de ser feliz, pero tienes que aprender a tomar decisiones acertadas. Convivir con un salvaje es una decisión pésima. Al principio del cambio atravesarás por un trauma doloroso, como lo es toda separación, pero cuando te sepas fuera de peligro, sentirás paz y la felicidad que nos permite la libertad.

El Dr. Johnatan Freedman, psicólogo de Nueva York, hizo la mayor encuesta de la historia sobre lo que es la felicidad para la mayoría de las personas y, durante diez años, fueron entrevistadas unas 100.000 personas. Al final, la conclusión es que la mayoría de las personas se sienten felices, por lo menos en la sociedad neoyorquina, pero lo interesante es que las estadísticas demostraron que donde más feliz es una persona es dentro del matrimonio. Yo pienso lo mismo, porque el matrimonio ofrece muchos beneficios: tener una compañía humana de nuestro agrado, nos da hijos, un sentido de seguridad, sentirnos aceptados, una visión de futuro agradable. Nos da sentido, algo imprescindible para ser feliz. Pero el matrimonio, en algunos países, está un poco deteriorado, en decadencia, porque la tasa de divorcios es alta, pero también hay personas que se divorcian y no tardan en volverse a casar. Pero, repito, sostener un matrimonio, donde en lugar de felicidad lo que un cónyuge encuentra es violencia, desconsideración, abusos y cosas así, ¿vale la pena? Repito: es mejor estar solo que mal acompañado.

Este es un capítulo que merece un mayor tratamiento, pero creo haber evacuado el tema bastante bien, a la luz de la psicología.

24.

LAS INQUIETANTES DEPRESIONES DE LOS FINES DE SEMANA

Estas depresiones son consideradas como muy peligrosas, pues comienzan con un estado de aburrimiento y, al llegar el lunes, pueden desatar deseos de suicidio por la acumulación de los fines de semana. Los grandes psicólogos clínicos han destacado siempre que las personas que tienen tendencia a las depresiones, encuentran en los sábados y domingos una ocasión propicia para sufrirla, en la forma de que carecen de agendas para esos dos días, se ven en blanco, no se les ocurre nada qué hacer y se aburren terriblemente. Esta es, precisamente, la palabra adecuada: aburrimiento, tedio. El aburrimiento es uno de los peldaños principales para encontrarse con la neurosis.

Aburrimiento es no tener o encontrar nada qué hacer, ni qué pensar, pero como la mente jamás descansa (ni en los sueños) se produce lo siguiente: acuden a la misma los pensamientos más pesimistas. Por algo se ha dicho popularmente que «mente ociosa es taller del diablo». Alguien me dirá: «Pero si yo no padezco de depresiones, ¿cómo me voy a sentir deprimido? Simplemente estoy aburrido porque no encuentro nada que hacer.» Hay personas que se aburren y les da por inventar cosas malas qué hacer, tratar de matar el tiempo de una forma poco constructiva y no llegan a deprimirse, porque le dan salida al tedio de esa forma. Otras, que son buenas, decentes, responsables, necesitarían inventar cosas constructivas en qué entretenerse, pero no se les ocurre, nada interesante les viene a la mente y se deprimen. Los que inventan vicios o cosas delictivas tienen que ver con la policía, pero las otras, las que son decentes, necesitan la orientación de psicólogos.

Los psicólogos nos guiamos por estadísticas para aprender el comportamiento generalizado y sabemos que el aburrimiento suele conducir, algunas veces, a ideas de suicidio. Y prueban que lo intentan no los sábados ni domingos, sino los lunes antes de las tres de la tarde, pues parece que el estado de ánimo se acumula en esos días y dejan una secuela que se agiganta al día siguiente, el lunes, cuando hace crisis el estado de ánimo.

¿Qué podríamos hacer para convertir los fines de semana en una oportunidad motivadora? El viernes, o antes, debes hacer una agenda que contenga actividades retadoras, agradables, entretenidas y constructivas o no, pues a veces con el mero entretenimiento es suficiente. Tener la mente ocupada en cosas bonitas es el secreto. Son tantas las cosas que podríamos hacer que si me pongo a describirlas tendría que tener en cuenta cada país adonde este libro llega. Si es México, Estados Unidos o el Caribe, jugar al béisbol; si es en España o Argentina el fútbol. Pero también puede jugarse al tenis en cualquier país, visitar parques zoológicos, museos, ir de tiendas ahora que se han puesto de moda las llamadas zonas de ocio. También existen los trabajos manuales, la pintura, la escultura, jugar a la canasta, al tute o a la brisca, *ping pong,* patinar, recorrer la ciudad para conocerla realmente. No puedo olvidar una autocrítica que se tenía en Cuba: «Conozca a Cuba primero y al extranjero después», pues el cubano no viajaba por su isla y solamente conocía donde residía. Los habaneros se referían a las demás provincias y ciudades como «La Habana y el campo», sin reflexionar que Pinar del Río y Oriente, eran dos provincias de paisajes bellísimos, con cordilleras de montañas y valles, por ejemplo, Pinar del Río posee según afirman muchos extranjeros conocedores, el valle de Viñales, como el más bello del mundo, con sus mogotes, sus casas de estilo siboney o taino, sus sembrados y el color fascinante del verdor que cubre como un manto casi todo. Los cubanos viajaban a

Miami Beach, pues los hoteles ofrecían precios muy bajos durante el verano y hacían compras en sus tiendas de ropa, pero es un hecho probado que las playas de Cuba están entre las mejores del mundo, muy superiores a las de Miami. Hablo de la Cuba de antes de 1959.

Los que no podían viajar a Miami Beach, disfrutaban de las playas o jugaban al béisbol, paseaban por los parques y por el Paseo del Prado (hoy desaparecido) y asistían a los bailes en los centros culturales y de recreo creados y mantenidos por los españoles. Es decir, el habanero se aburría muy poco y las depresiones escaseaban.

Quiero ofrecer un par de ejemplos de dos personas cuya ociosidad les condujo al éxito. Mi prima Adela González, diseñadora de una casa de modas de la Quinta Avenida de Nueva York, se jubiló y se fue a vivir a Boulder, estado de Colorado, porque su única hija vivía allí. Se aburría en aquella población tan pequeña comparada con la «Gran Manzana» (así llaman a la ciudad de Nueva York). Una amiga le sugirió cultivar violetas y comenzó haciéndolo para entretenerse, pero se animó tanto que llegó a competir mundialmente y ganó mucho dinero, pero más que eso: su vida no tenía vacíos, sino una gran motivación. Y frente a mi casa, aquí, en Kendall, reside Eduardo Funes, un detective que trabajó en Los Angeles, California. Todos los muebles de su casa los construyó él solo, al estilo de los indios de Nuevo México y hace figuras en hierro que son exhibidas y muy solicitadas. Funes es un artista formidable. ¿Qué aburrimiento y cuál depresión pueden entrar en la mente de mi prima y de mi vecino?

En el próximo capítulo describiré muchísimas terapias para combatir la depresión, pero quiero terminar éste diciéndote que puedes entretenerte pescando, tomando fotografías, escribiendo un libro, convirtiéndote en un repostero, organizar o participar múltiples actividades. Ah, me olvidaba, si estás soltero, enamórate y cantarás, como Edith Piaff, «La Vie en Rose».

25.

PSICOTERAPIAS BREVES Y DE EMERGENCIA

Son de efectos temporales y muchas veces permanentes, indispensables en este libro; algunas las he mencionado en artículos anteriores, pero, por si vamos a la práctica, a la búsqueda y localización urgente de estas terapias organizadas numéricamente, las agrupo ahora y puedes incorporar algunas a tu conducta con resultados inmediatos o permanentes, como te dije antes.

1. OCUPACIONAL. Centros de salud mental en el Estado de Illinois, Estados Unidos, han dado gran preferencia a las terapias ocupacionales, considerando que las personas necesitan trabajo para muchas cosas: cubrir sus necesidades, sentirse útiles y creativos y desalojar de sus mentes los pensamientos depresivos.

2. APOYO FAMILIAR. Habla con tus familiares persuasivamente y diles que estás atravesando por una enfermedad que se llama psiconeurosis, productora de un estado depresivo que quizá ellos no puedan percibir desde fuera, pero que viene a ser como un infierno para ti pues te provoca tristeza, pesimismo, falta de interés por vivir y los demás síntomas que tengas. Que los psicólogos sugieren que los familiares presten su cooperación decidida, apoyándote y teniendo paciencia. Que les agradeces sus consejos, pero que la manera de curarte es a través de un tratamiento profesional que tú estás siguiendo.

3. RECREACIONAL. Cualquier actividad recreativa es saludable porque absorbe tu mente en lo que estás haciendo.

4. MUSICAL. Que sea alegre, basta con ritmos como los de la música cubana, pasodobles que son muy contagiosos; pero nada que te provoque nostalgia y menos melancolía. Yo duermo cada noche con música instrumental norteamericana, específicamente *jazz*, *blues*, escucho a dos pianistas llamados Frankie Carli y Carmen Cavallaro, a veces pongo a las tunas universitarias españolas porque me gustan mucho los conjuntos musicales que incluyen el laúd. Tú debes tener tus gustos y tener una selección de música que te haga sentir bien a la hora de acostarte a dormir. ¿Sabes por qué es bueno? Porque a la hora de dormir suelen acudir a la memoria pensamientos depresivos y con la música resulta muy sedante llegar a conciliar el sueño.

5. AMOROSA. Si eres una persona casada, tienes la compañía de tu cónyuge, pero si estas soltera o soltero y te enamoras, tu mente estará casi todo el día pensando en ella o él. Una canción mexicana de los años cuarenta decía: «Tengo un nuevo amor, que es mi pasión y es mi locura... sólo pienso en él porque su amor es verdadero...». Efectivamente, cuando estamos enamorados, ¿qué otra cosa podría competir con esos pensamientos? Pero procura enamorarte de alguien que pueda corresponderte.

6. EDUCACIONAL Y CULTURAL. En los años setenta atravesé por una crisis familiar y me matriculé en «Saint Thomas University», donde estudié psicología y sociología. Cursé doce asignaturas simultáneamente, hice nuevas amistades, y el hecho de estudiar, de superarme, de aprender cosas nuevas y útiles absorbió mi mente y el trauma me duró muy poco. Cambió mi vida admirablemente bien y me colocó en una carrera donde he alcanzado cierto reconocimiento. Uno de mis profesores de psicología abría sus brazos y decía: «Mientras más me abro al conocimiento y a la experiencia, más soy». Sí, mientras más aprendemos, más seres humanos somos.

7. VIAJAR. Cambiar de geografía, de escenario, salir durante semanas del lugar donde residimos, es sentir que somos más del mundo. Cada año voy a España, de donde provienen mis antepasados y me fascina visitar cualquier lugar de tan extraordinario país, incluyendo las Islas Canarias. Me sigue en interés Praga, en la República Checa, Cracovia en Polonia, Florencia, Venecia y Roma en Italia, Suiza, los países escandinavos, Bélgica y Holanda, los campos de Alemania, los principados de Andorra (que me parece un paraíso) y Mónaco, más que el de Luxemburgo y otros. Ciudad de México, Guadalajara, Mérida en Yucatán, Guatemala con su cultura maya y así por el estilo. Mi esposa Agustina y yo hemos visitado unos cuarenta países y nos hemos enriquecido culturalmente. El dinero que invertimos es eso: inversión, jamás un gasto.

8. PARTICIPACIÓN SOCIAL. La tendencia de la persona deprimida es arrinconarse en un lugar de su casa, acostarse en posición fetal como tratando de reducirse. Dormir para no pensar, pero todo eso es contraproducente. Una persona con depresión debe mantenerse en contacto con sus familiares y amistades sin contarles su enfermedad. Tienes que hacer una vida lo más normal posible, participando, no aislándote.

9. AISLAMIENTO. Aislarte no significa lo contrario de participación social. Cuando deseamos crear, como pintar, esculpir, escribir poesías o un libro de historia o novela, componer música, todo eso demanda concentración, el aislamiento temporal es bueno. Pero no todo el tiempo.

10. DEPORTIVA. Practicar un deporte al aire libre es muy saludable, porque los psicólogos saben que tomar la luz del sol es antidepresivo. La oscuridad no es recomendable, pues se han hecho estudios y prueban que en los países escandinavos, por ejemplo, las cifras de personas depresivas son muy altas, así como los suicidios, porque están durante parte del año bajo una ausencia casi total del sol.

11. CUARENTENA. Mientras estés padeciendo de neurosis, debes alejarte de todo lo que te intranquilice, de lo que te disguste, de lo que te provoque ansiedad.

12. EXPONERTE A COSAS BELLAS. El Dr. Abraham Maslow ha probado que la belleza nos produce placer, satisfacción, nos hace sentir bien. La fealdad es todo lo contrario.

13. VIVIR AUTÉNTICAMENTE. Renunciar a la hipocresía, a la doble personalidad, a los dobles estándares, a las máscaras, en cambio vivir auténticamente es trascendente y saludable.

14. PAZ Y SOSIEGO. Evita la agitación, el agotamiento físico y mental, las tensiones, las discusiones, el estrés.

15. SATISFACER LAS NECESIDADES BÁSICAS. Las neurosis son de carácter mental, pero si el cuerpo está débil y mal alimentado va a repercutir en tu estado de ánimo. Debes alimentarte bien, respirar bien, ingerir alimentos sanos.

16. RENUNCIA A CREENCIAS ENAJENANTES. Todas las creencias hablan de Dios y los necios dicen que todas las religiones son buenas porque enseñan lo bueno, no lo malo. Es mentira, yo tengo una extensísima experiencia en religiones y creencias y quiero dejar bien aclarado que soy cristiano practicante, humanista renacentista, no soy miembro de ninguna religión ni pertenezco a ninguno de los partidos políticos de Estados Unidos. Me considero una persona libre e independiente, universal. Cuando yo fui víctima de una neurosis muy mala (no hay ninguna buena, por supuesto) ésta me la produjo la religión a la que asistían mis padres. Y cuando me hice psicólogo, he tenido centenares de pacientes enfermos con depresiones producidas por sus religiones o creencias. Mis lectores no están obligados o presionados por mi psicoterapia a que abandonen sus creencias, pero sepan que hay muchas religiones y creencias que enferman a las personas con sus predicaciones.

El espiritismo conduce a muchos creyentes a los manicomios, así como la santería (que ahora se practica mucho en la Cuba castrista); también religiones como los Adventistas del Séptimo Día, los Testigos de Jehová, los Pentecostales, las iglesias llamadas Asambleas de Dios, las de la Biblia Abierta y otras más. Los psicólogos tienen muy mala opinión de las religiones inspiradas en Martín Lutero, considerando que en Suecia, por ejemplo, han hecho mucho daño a la mente de sus habitantes.

17. ENFRENTAR LAS REALIDADES. Todo este libro viene repitiendo hasta la saciedad que no enfrentar las realidades es depresivo. Por dolorosas que sean, si no las enfrentas, has comprado todas las papeletas para ganar una neurosis.

18. DISMINUIR LAS DEUDAS. Don Severo Catalina, escritor español que leí cuando yo era niño, decía en un libro suyo que la hora más triste de una persona es cuando gasta el dinero que aún no ha recibido. Visionario, parece que vislumbró las tarjetas de crédito, que tanto daño han hecho a las personas pobres o de clase media, porque con ellas se compra sin tener el dinero, pero después tiene que pasarse la vida pagando los altos intereses y les resulta dificilísimo terminar de pagarlas.

19. SIMPLIFICACIÓN DE LA VIDA. Cada persona tiene una medida que puede abarcar, un sistema nervioso que tiene un límite en su resistencia. Complicarse la vida es enfermizo, por eso mi madre sabiamente me recomendaba que simplificara mi vida. Es sabio hacerlo.

20. MOTIVACIONAL. Si bien es cierto que darle un sentido a la vida es indispensable, tener motivaciones es una avenida que nos conduce hacia ese sentido. Las motivaciones no siempre vienen solas, sino que es uno mismo quien las crea.

21. CINEMATOGRÁFICA O TELEVISIVA. Cuando yo era niño, con mi hermana Dorcas y mi hermano Israel, asistía-

mos noche tras noche a un cine de la ciudad de Marianao, Cuba, llamado «Salón Rey». Eran tiempos sin radiodifusión ni televisión, pero ahora tenemos satélites que nos permiten ver programas de muchos países del mundo y muchísimas películas para elegir. Programas culturales, espectáculos musicales, deportivos, ¡cuántas cosas podemos ver! Significa que una persona con depresión tiene a su alcance muchas maneras de entretenerse con la televisión.

22. PENSAR POSITIVAMENTE. Sabemos que las depresiones nos ponen frente a los ojos un cristal gris oscuro, porque se apoderan de nuestra mente pensamientos pesimistas, pero tenemos que luchar contra nuestras tendencias negativas y tratar de ver las cosas lo más positivamente que podamos.

23. RENUNCIAR Y RESISTIR. Ésta es una fórmula triunfante que leí en un libro cuyo nombre no recuerdo, pero tiene su sabiduría y dice así: La persona que sabe renunciar y puede resistir es prácticamente invencible. Reflexiona sobre dicha fórmula y adóptala.

24. ELIMINAR LA HIPOCONDRÍA. Es el temor infundado a las enfermedades. La hipocondría en sí misma es enfermiza. Y se cura visitando a tu médico y haciéndote un examen para que sepas de qué padeces o no. No hay otra forma.

25. BUSCAR SOLUCIONES. Es una actitud triunfante. En lugar de quejarte, de tenerte lástima, de temer que algo no tiene arreglo, la filosofía debe ser buscar soluciones. Existan o no, antes de darte por vencido, trata de encontrar solución a tus problemas y conflictos.

26. NO TENERLE MIEDO A LA MUERTE. Yo particularmente no quiero morirme, pero como eso está en las manos de Dios, tengo que aceptarlo y, como dice el Dr. Alberto Iglesias Núñez, el gran psiquiatra de Miami: «morir es como quedarse dormido». Si no te consuela esta frase, entonces

usa la que yo aprendí de una pareja de cómicos cubanos: uno hacía de negrito y el otro de gallego. Y tenían una frase al estilo de Perogrullo. Decía así: «Antes morir que perder la vida». A los cubanos nos hacía reír, porque el cubano soporta las situaciones difíciles con chistes y con un poco de cinismo hace frente a las vicisitudes de la vida.

27. CORTAR EL CORDON UMBILICAL. La teoría del Dr. Otto Rank merece explicarse detenidamente, pero al no disponer de espacio, debo abreviarla. Cuando estamos en el vientre de nuestra madre, a través del cordón umbilical lo recibimos todo, cuando viene el parto salimos hacia una temperatura distinta, nos empujan, nos sacuden, escuchamos voces agitadas y eso produce un «grito primal». Corre el tiempo y la vida nos presenta conflictos y sucesos frente a los cuales no parece que tengamos fuerza, es entonces cuando inconscientemente desearíamos regresar al seno materno donde estábamos seguros, protegidos, dependientes. Ésta es una de las grandísimas razones por las cuales muchas personas son irresponsables y temen enfrentarse a las realidades, a menos que hayan recibido una educación adecuada. ¿No te has fijado que cuando una persona recibe una mala noticia, devastadora, busca dónde recostarse, como buscando apoyo? En esos momentos quisiera estar dentro de su madre donde nada de eso ocurría.

28. PROPONERNOS METAS Y PROYECTOS. Como te habrás dado cuenta, tener la mente ocupada en algo entretenido o constructivo, aleja los pensamientos depresivos. Es parte del proceso de curación.

29. CONVIVENCIA. El mundo y la sociedad en la que vives no están hechos a tu medida, sino que hay de todo y si quieres sobrevivir sin muchos problemas debes convivir, como decía Federico García Lorca.

30. NO TOMAR TAN EN SERIO LA VIDA. Debemos ser responsables, pero no poner esas caras de tranca que vemos en

algunas personas, tratando de impresionarnos de que son personas serias La persona que no tiene sentido del humor, que no sonríe no es garantía de que sea buena, porque a muchos pedófilos con renombre social, los tomamos como personas serias y en sus vidas privadas son todo lo contrario. Hay que reír, sonreír, hacer chistes o escucharlos con buen talante.

26.

LA NEUROSIS SE CURA, PERO, ¿QUÉ PASARÁ CON TU VIDA DESPUÉS SI NO LE DAS UN SENTIDO?

El proceso de curar tu depresión puede darse con esta psicoterapia, pero a mí no me interesa como profesional que este libro se limite a reestablecer tu equilibrio emocional y quedarnos los dos en ese logro. Si al mismo tiempo o después de superada la depresión, tu vida se adapta a tus realidades y sales airoso de tus enfrentamientos con ellas y yo no te he enseñado a darle un sentido a tu vida, me sentiría fracasado porque la psicoterapia debe equiparte con un entendimiento de lo que es el comportamiento humano. Después de la depresión has recobrado tu alegría y tu normalidad, pero eso no significa en manera alguna de que no tendrás que enfrentar sufrimientos, decepciones, fracasos y otras situaciones que se dan en todas las vidas humanas. Ahora debes estar preparado para sufrir, hacer sacrificios y hasta para dar tu vida por tus seres más queridos.

Una vida carente de sentido es proclive al suicidio. Las estadísticas nos demuestran que estudiantes norteamericanos que desarrollaban actividades sociales satisfactorias, tenían altas calificaciones en sus exámenes y mantenían excelentes relaciones con sus familiares, sin embargo el 93 por ciento de ellos habían intentado suicidarse o pensaban hacerlo confesando que les parecía que sus vidas no tenían sentido. Después de los accidentes de tráfico, el suicidio entre estudiantes, en Estados Unidos, es la siguiente causa de muerte. Y eso que residen en una sociedad de abundancia y de bienestar. Afirma el Dr. Victor Frankl que no basta con mejorar la situación económica de las gentes para que todo marche perfectamente y todos sean felices. El dinero es necesario e importante, pero no lo es todo en la vida: se requiere que esa vida tenga sentido. Cuando no se tiene un sentido, se apodera de la persona un vacío existencial, una vacuidad y, en estos casos, uno se pregunta: ¿sobrevivir para qué? Porque la vida tiene que tener un propósito, una razón, motivaciones que le den sentido. Carece de sentido vivir por vivir.

Paracelso tenía razón cuando afirmaba que las enfermedades se originan en el ámbito de la naturaleza, y que la curación procede del ámbito del espíritu. También debo decir que la carencia de sentido puede dar lugar a las neurosis. Hay que buscarle sentido a tu vida durante y después del estado depresivo. Frankl menciona a Jerry Mandel, que escribe lo siguiente: «La tecnología nos ha privado de la necesidad de utilizar nuestras capacidades para la supervivencia. Hemos desarrollado así un sistema de bienestar que garantiza que uno pueda sobrevivir sin realizar esfuerzo alguno por su propia cuenta. ¿Y qué decir de las personas desempleadas, fenómeno producido en muchísimos países por la globalización? Aquí tenemos una nueva o renovada neurosis: la neurosis del desempleo. Y sépase que no basta con una compensación económica, con la seguridad social (en EEUU le llamamos *Welfare)*. El ser humano no solamente vive de subsidios.

Diana D. Young, de la Universidad de California, pudo demostrar mediante *test* e investigación estadística, que los jóvenes sufren más que las generaciones adultas a causa del vacío existencial. Ya que es también entre los jóvenes donde se encuentra más pronunciada la desaparición de las tradiciones; dicho hallazgo indica que la decadencia de las tradiciones constituye uno de los principales factores responsables del vacío existencial. Y en Washington, hombres de menos de 30 años, acuden a los centros mentales en busca de ayuda, por «ausencia de finalidad». La falta de sentido lleva a los jóvenes a buscar el alcohol, la marihuana y las drogas alucinógenas para escapar de sus vacíos existenciales. La vida humana tiene que tener en cada persona una finalidad, un propósito, porque nuestro cerebro, la manera en que Dios o la naturaleza lo diseñaron, lo impele a su desarrollo, a conducir su conducta hacia la autorrealización, a crecer y llegar a ser superior. El animal no necesita de este proceso, pero el ser humano sí lo necesita, porque carecemos de instintos que limiten nuestra conducta sólo a satisfacer unas pocas necesidades de supervivencia. Lo extraordinario, lo maravilloso, lo incomparable de nuestro cerebro, es que contiene alrededor de 100.000 millones de neuronas, cuyas químicas y electricidad necesitan de constante actividad en forma de aprendizaje para responder a los variabilísimos problemas, conflictos y retos que la vida le presenta. No hay espectáculo más triste que ver a un ser humano sin desarrollo, ignorante de la sabiduría, del progreso, de lo que debe hacer para contribuir a que el mundo sea mejor, aunque sea el mundo que le rodea como su propia familia, que suele depender de él y del alcance de sus posibilidades intelectuales, de su creatividad, del fruto de su funcionamiento dentro del conglomerado social al que pertenece. Por algo, Thomas Jefferson, para mí el padre de la Democracia, estuvo muy acertado cuando dijo que lo que vale es lo que funciona. Y la educación, la cultura, los valores son los que nos permiten funcionar bien para uno mismo y para los demás.

Albert Einstein dijo cierta vez que «el hombre que considera su vida como falta de sentido, no solamente es desdichado, sino difícilmente apto para la vida.» Y Frankl agrega: «No se trata solamente de una cuestión relativa al éxito y la felicidad, sino también a la supervivencia. En la terminología de la psicología moderna, la voluntad de sentido posee "valor de supervivencia". Esta fue la lección que tuve que aprender en los tres años transcurridos en Auschwitz y Dachau: *ceteris paribus,* los más aptos para sobrevivir en los campos de exterminio fueron aquellos que se hallaban orientados hacia el futuro, hacia una tarea o a una persona que les aguardaba en el futuro, hacia un sentido que ellos habrían de cumplir en el futuro.» Y quiero decir a mis lectores que el Dr. Victor Frankl sufrió terriblemente aquellas ignominias del régimen de Adolfo Hitler y sus secuaces, que asesinaron a su esposa, a su hermana y a sus padres. Y a pesar del intensísimo dolor, aprovechó que lo dejaran vivo para ayudar a los demás reclusos para que pudiesen soportar con su mejor talante o con un mínimo de él, la incertidumbre de pensar que ese mismo día, o el siguiente, cualquiera de ellos terminaría en los hornos crematorios. Su psicoterapia era orientarlos a refugiarse en el pasado, en lo que habían sido y pensar que la vida podría reservarles un futuro para el cual debían enfocar sus mentes. ¿Acaso aquellos presos tenían derechos procesales, *habeas corpus,* un sistema de justicia civilizado que les produjera cierta tranquilidad mental o espiritual? No los tenían, pero Frankl se las arregló para que algunos aprendieran a sobrevivir ¡a pesar de todo! y a pensar que podrían tener un futuro. Muchos no lo tuvieron, mientras que otros sí. Y aún los que fueron asesinados, mientras vivieron, disfrutaron de un poco de lenitivo soñando con un futuro esperanzador.

Tú estás en mejores condiciones que aquellos infelices y estoy seguro de que tu vida no corre peligro si aceptas la psicoterapia que te ofrece la psicología, pues la cura para las depresiones o neurosis existe y la tienes al alcance de tus ojos, si es que pones algo de tu parte y te esfuerzas en asimilar lo que se te enseña. El mensaje de este capítulo es que le busques un sentido a tu vida ahora mismo y después que te cures. Depende de ti.

27.

TODA PERSONA DEPRIMIDA ES UN SUICIDA POTENCIAL, PERO SIN RAZÓN

Resulta muy poco agradable hablar de suicidio, debido a que nos trae la idea de la muerte y la psicología tiene un axioma que reza así: «Toda persona deprimida es un suicida potencial» y, como es cierto que vienen a la mente ideas para escapar del sufrimiento de la depresión, un libro como este debe evacuar el tema de manera que el lector o la lectora aprendan a desalojar de su mente las ideas de escapar, si es que le vienen, y no se sientan inclinados a sucumbir ante ellas. Recuerda que yo padecí de joven una depresión profunda y sé muy bien las ideas desagradables que vienen a la mente; son ideas pesimistas y es tal el sufrimiento que se siente y la desesperanza que se apodera de nuestra voluntad, que cuando te redacto este capítulo puedo conseguir tu confianza en mis palabras, porque provienen de alguien que llegó a ser un psicólogo profesional y aprendió a resolver los problemas depresivos.

No hay que tratar de escapar de la depresión, sino curarla, vencerla, porque las depresiones no son incurables como otras enfermedades mentales, sino que se curan porque a lo largo de este libro te lo he venido explicando y demostrando y, si crees en mí, si confías en mí y pones en práctica mis enseñanzas (acuérdate de que yo soy psicólogo, psicoterapeuta y profesor de la materia en *High Schools* y *Colleges* universitarios) tus esperanzas tienen una base genuina porque se ha demostrado en todos los países civilizados del mundo. Bien, comencemos a desarrollar el tema.

Perdona que hable tanto de mí, pero debemos conocernos a través de este libro. He salvado del suicidio posiblemente a más de 200 personas a lo largo de veintiseis años, solamente en el Sur del Estado de Florida, porque durante todo este tiempo he dado mi teléfono públicamente, para que toda persona que piense en el suicidio hable conmigo antes de intentarlo, no importa la hora del día o de la noche y sin cobrarle ni un solo centavo, porque soy humanista renacentista y pienso que Dios está en el bien que uno hace, y no puedo sentirme tranquilo si puedo evitar la desgracia de una persona y no lo hago. Me sentiría muy mal, porque es así como entiendo mi humanismo cristiano.

Si tú realmente amas a tus familiares, jamás intentarías suicidarte porque hacer sufrir a quienes te aman y ante quienes tienes deberes es un egoísmo de la peor clase que existe. La vida no es un carnaval únicamente, sino una responsabilidad ante Dios o la Creación que nos la dio para algo. Para disfrutarla, sí, pero también para compartirla con los demás, sobre todo con la familia y la sociedad a la que pertenecemos. Estoy seguro de que tienes críticas que hacer, de que has tenido decepciones, que has sufrido, que has debilitado tu voluntad de vivir y un largo etcétera que conozco perfectamente bien porque yo atravesé por todo eso, pero aquí estoy para contarlo y ayudar a otros a navegar por la vida, como diría el Cardenal Obando de Nicaragua.

Tengo frente a mí las estadísticas de suicidio de casi todos los países del mundo y siento dolor por esas vidas tronchadas. En España, por ejemplo, el promedio de suicidios de los últimos años es el más alto de Europa según afirma Televisión Española Internacional: 3.500, menos que en mi país (Estados Unidos) donde cada año mueren de esta manera 30.000 hombres y mujeres. Las cifras se han cuadruplicado, afirma el programa «Redes» de TVE y sitúa las causas (creo recordar) de esta manera:

1. Enfermedades mentales (la psiconeurosis o depresiones).

2. El sufrimiento.
3. La soledad.
4. Enfermedades físicas.
5. Homosexuales, por la presión social.
6. Amor no correspondido.
7. Abstracciones absurdas, imaginar cosas erróneamente.

Dijeron en el programa, que contó con psiquiatras como Colin Pitchard, Jerónimo Saiz y Carmen Tejedor, que la familia española se debilita, que las causas existenciales, trastornos emocionales repentinos, el olvido de las realidades que rodean a la persona y pensar en los sucesos desagradables del pasado, entre otros motivos, son causas a considerar. Y afirmaron que el suicidio no es racional. Por supuesto que no es racional, sino un acto emocional desesperado y no por una causa única, afirmo yo, sino que la persona ha venido acumulando motivos (no razones) y en un momento dado, surge algo que precipita lo acumulado, como cuando una gota rebosa una copa que está completamente llena de un líquido. La gota se desborda y cae, pero no es la que ha llenado la copa. La persona que se enamora y no es correspondida se deprime y puede intentar el suicidio, pero no es el rechazo de ella, supongamos, sino que es el temperamento melancólico, la carencia de autoestima, el razonamiento pobre del enamorado, el que sirve de base al desplome. Razona mal, distorsiona la realidad del mundo y de la vida civilizada, no es capaz de reflexionar y saber que el amor no es obligado, que en el amor de pareja son dos personas las que deben desear la unión y no una sola.

Las estadísticas nos demuestran que la mayor parte de los que intentan el suicidio y no logran morir, al cabo del tiempo desisten de la idea porque han reaccionado ante las realidades lógicas de la vida humana. La Dra. Carmen Tejedor, en el referido programa de Televisión Española Internacional, decía: «Que el suicida me dé media hora nada más antes de intentarlo y no lo hará». Considerando esas decisiones precipitadas de algunas personas que actúan antes de pensar, cuando lo correcto es pensar (y pensar con raciocinio) y después decidir lo que uno debe o no hacer.

Y antes de finalizar este capítulo, regreso al Dr. Viktor Frankl mencionado anteriormente en este libro, quien ha demostrado que a la vida humana hay que darle un sentido, una razón, un propósito. El suicidio es irracional, de personas débiles, desconsiderado; es una cobardía ante las realidades de la vida por la que todos debemos atravesar de una manera o de otra. El suicida no lucha, el mismo se derrota, baja las armas, le teme a la contienda, deserta de sus deberes humanos. En Francia, los soldados que le temen al combate enfrentan un consejo de guerra y son duramente castigados. La persona deprimida que piensa en el suicidio es un desertor; prefiere morir antes que sufrir o aceptar una derrota. Desconfía del futuro y de ella misma.

28.

EN LAS PERSONAS SUPERIORES LAS DEPRESIONES NO EXISTEN

En lugar de rendirnos ante la fealdad con la que nos encontramos en nuestro caminar por la vida, de aceptar la pobreza en la que nacimos, de frustrarnos por no querer aceptar las realidades y caer en los mecanismos de defensa que descubrió el Dr. Sigmund Freud, ¿acaso no es mucho mejor decirnos: «Me voy a hacer una persona superior a pesar de todos los obstáculos que ahora tengo»? Abilio J. de la Campa Izquierdo nació y vivió en un pueblo pobre, dentro de una familia pobre, era mulato y en ese poblado no existían oportunidades de superación, pero en su mente bullían las ideas y los propósitos no de grandeza o de vanidad, sino el deseo concreto y no abstracto de ser alguien. Sus circunstancias eran negativas, pero aquí está el hombre humanista que se sobrepone a aquéllas y decide sobresalir. Viajaba de lunes a viernes a una ciudad cercana donde estudió bachillerato (o *High School,* como decimos en los países anglosajones) y después se hizo procurador, profesión muy cercana a la abogacía. Mientras, leía libros prestados y adquirió cultura y el don de Dios de ser poeta prosperó en él y, no bastándole, se hizo periodista. En el mismo pueblo, José Santiago Cubas hacía zapatos en su casa, para venderlos a los vecinos y con lo que ganaba viajaba a la capital del país, La Habana, donde estudió Derecho por el sistema que llamamos por libre y se graduó como abogado. Durante uno de los gobiernos cubanos lo designaron Fiscal General del país.

Yo conozco dos países de América Central, y a México desde la frontera con Estados Unidos hasta con la de Guatemala, y sé que los indios están llenos de limitaciones, así como los mestizos. Les resulta dificilísimo trascender sus realidades económicas y culturales, pero he sabido de algunos que tenían aspiraciones concretas y llegaron a triunfar emigrando a las ciudades grandes o a las capitales. He recorrido España, desde el Cantábrico hasta el Mediterráneo, desde los Pirineos hasta las fronteras con Portugal, y conozco no sólo ciudades importantes, sino aldeas y poblados. En esta España moderna y próspera existen muchas oportunidades de autorrealizarse, de trascender y de llegar a ser superior, porque centros de enseñanza existen en toda la geografía ibérica, con universidades de renombre mundial, con un prestigio ganado a lo largo de muchos siglos, entre ellas la de Salamanca, donde una hermana mía espiritual, Julia Sendín García, de Fermoselle, Zamora (hermosa población castellana limítrofe con Portugal) se graduó con honores. Julia debía viajar frecuentemente desde Fermoselle hasta Salamanca, pero tenía eso que es tan difícil para muchos: voluntad, y es una bella muchacha, llena de amor por su prójimo, con una educación superior y un don de creatividad envidiable. Otras no pueden decir lo mismo, porque prefirieron aceptar las limitaciones de una población apartada y dejarse llevar por las circunstancias, en tanto que Julia decidió hacerse superior. El lector debe saber que la Universidad de Salamanca es una de las primeras que aparecieron en Europa y que su prestigio está a la altura de las mejores del mundo. Muchas veces querer es poder. Y como Abilio, José Santiago y Julia tenían deseos concretos y no abstractos, llegaron a sus metas. Es menester explicar que el deseo abstracto permanece únicamente dentro de la mente, mientras que los deseos concretos comienzan en la mente, pero van derechos hacia la voluntad y ponen en acción a la persona. Si tú fueras como estos tres jóvenes, ¿qué depresión puede adueñarse de tu mente? Ah, me faltaba algo: cuando llegué a los Estados Unidos, mis títulos de Cuba no me sirvieron de mucho, por lo cual estudié Psicología cuando ya habían pasado mis años de juventud y he llegado más lejos de lo que yo pensaba. Conozco a muchas personas que decidieron graduarse cuando habían pasado de los 50 o de los 60 años y lo lograron. Y una señora, que salió en la prensa mundial, se graduó en una universidad a la edad de 84 años. Aunque no siempre sea posible, ¡querer es poder!

La falta de trascendencia produce metapatologías

Regreso al Dr. Abraham Maslow, del que te he hablado varias veces en este libro. Decía él que la persona que no satisface sus necesidades de crecimiento, de desarrollo, hasta alcanzar la plenitud humana, es una persona que encamina su existencia hacia la disminución, la mediocridad o inferioridad y, al mismo tiempo, hacia la perturbación de su equilibrio emocional, la enfermedad y la patología. En cualquier momento puede ser presa de una depresión o neurosis. Para su supervivencia la persona necesita satisfacer sus necesidades básicas, pero si se detiene ahí y no atiende su condición humana, que le exige la gratificación de otras necesidades, las metanecesidades (necesidades superiores que son las que hacen crecer educacional y culturalmente a la persona) no desarrolla sus talentos o potencialidades, entonces se produce inevitablemente una disminución humana, repito, una disminución de la plenitud humana y pueden ocurrirle cosas como las siguientes:

a) Pérdida del gusto por la vida.
b) Pérdida de significado.
c) Vacuidad.
d) Incapacidad de disfrutar, indiferencia.
e) Aburrimiento, tedio.
f) Vacío existencial.
g) Neurosis.
h) Crisis filosófica.
i) Apatía, resignación, fatalismo.
j) Pérdida de los valores.

k) Enfermedad y crisis espiritual, esterilidad, aridez.

l) Depresión axiológica (por la falta de valores o confusión respecto a los mismos).

m) Desacralización de la vida.

n) Deseos de muerte; alejamiento de la vida. No importa la propia muerte.

o) Sensación de ser inútil, innecesario, de no importarle a nadie, de ineficacia.

p) Desesperanza, apatía, fracaso, dejar de superarse, sucumbir.

q) Sentirse absolutamente determinado, desvalido, no sentir la libre voluntad.

r) Desesperación, angustia.

s) Ausencia de alegría.

t) Futilidad, cinismo, incredulidad, pérdida de la fe o explicación reduccionista de todos los altos valores.

u) Quejas, carencia de metas, destructividad, resentimiento, vandalismo.

v) Alienación (enajenación, desorden mental), anomia (pérdida de la capacidad para denominar objetos o para reconocerlos y darles nombre).

w) Sentimiento de desamparo, lamentaciones, tendencias suicidas, patologías religiosas, pérdida de la identidad.

x) Ausencia de autoestima.

y) Enfermedad espiritual.

z) Extrapunitividad.

Como estarás observando, la falta de trascendencia, crecimiento y desarrollo produce todo lo anterior, aunque no todo en una misma persona pero sí en muchas de ellas. El hombre o la mujer que desconocen sus talentos, sus potencialidades y que se limitan a gratificar solamente sus necesidades básicas o de supervivencia como comer, dormir, tener sexualidad, buscar seguridad, relacionarse con otros, etc. dejan de trascender y los resultados pueden ser catastróficos, porque enajenan su conducta, disminuyen la calidad de su vida, son candidatos a las patologías descritas.

¿Lo que te he descrito es todo? No, lamentablemente podría describirte más de un centenar de disminuciones humanas, pero lo escrito debe ser suficiente para que entiendas lo que suele conducir a las depresiones.

Las personas que trascienden y llegan a ser superiores

De acuerdo con las investigaciones del Dr. Abraham Maslow, las personas autorrealizadoras tienen una serie de características que paso a describirlas.

1. Para las personas trascendentes, las experiencias cumbres o superiores se convierten en lo más importante de sus vidas, el punto más elevado, lo más precioso.

2. Hablan fácil, normal, natural e inconscientemente el lenguaje de lo que él llama el Ser, el lenguaje de los poetas, de los místicos, de los que saben ver, de las personas auténticas y profundamente religiosas; comprenden mejor las parábolas, las paradojas, la música, el arte, así como las comunicaciones no verbales.

3. Perciben en forma unitaria, sagrada (es decir lo sagrado dentro de lo profano), o sea, pueden ver lo sagrado en todas las cosas al mismo tiempo que las ven en el nivel práctico o cotidiano.

4. Están motivadas de un modo más consciente y deliberado. Buscan la perfección, la verdad, la belleza, la bondad, la unidad, la trascendencia de la dicotomía.

5. En alguna manera pueden reconocerse unas a otras y llegar a una intimidad casi instantánea y a una mutua comprensión aun desde su primer contacto. Pueden entonces comunicarse no solamente en todas las formas verbales sino también en formas no verbales.

6. Responden más a la belleza. Tienen una tendencia a embellecer todas las cosas, a ver lo bello más fácilmente que los demás, a considerar que la belleza es lo más importante, o a ver bello lo que oficial o convencionalmente no lo es.

7. Son más holísticas acerca del mundo. La humanidad es una y el cosmos es uno, así que conceptos tales como «el interés nacional» o «la religión de mis padres» o, «los diferentes niveles de personas o de coeficientes intelectuales», o bien desaparecen o son fácilmente trascendidos. Pensar en la forma «normal», estúpida o inmadura en que nosotros lo hacemos representa para ellas un esfuerzo, aun cuando pueden hacerlo.

8. Trascienden fácilmente la dicotomía (oposición entre dos cosas, división).

9. Por supuesto, tienen una mayor y más fácil trascendencia del *ego,* del *yo,* de la identidad.

10. Son amables e inspiran más respeto; son más parecidas a Dios, más «santas» en el sentido medieval, más fácilmente reverenciadas, más «terribles» en el antiguo sentido. Pueden decir de ellos «es un gran hombre» o «es una gran mujer».

11. Como consecuencia de todas estas características, las personas trascendentes son mucho más capaces de ser innovadoras, descubridoras de lo nuevo. Están más cerca de «lo que debería ser», de «lo que podría ser».

12. Son más felices que las personas simplemente sanas. Pueden tener más momentos de éxtasis, experimentar niveles más altos de felicidad.

13. Tienen más dignidad, más autoestima, más libertad.

Tengo una lista de 40 descripciones más que hablan a favor de los hombres y mujeres que deciden hacerse superiores, personas que se autorrealizan, pero si mis lectores son buenos entendedores y desean «volar alto», como decía el inolvidable Jaime Borràs Betriu, en su libro del mismo título publicado por EDICIONES 29, no creo necesario agregar más de lo que hasta aquí he expuesto. Ahora cabe la frase de William Shakespeare, en HAMLET: *Ser o no ser,* porque vivir envuelto en dudas, en incertidumbres, llenos de miedo y esperando soluciones del cielo, es alimentar la depresión o neurosis y convertirla en una enfermedad crónica, que llega a formar parte del carácter de la persona, y dudo muchísimo de que cuando se decida a buscar ayuda, la psicoterapia pueda hacer algo por ella. Suele ser demasiadao tarde.

29.

HAY MANERAS DE LOGRAR QUE NO TE AFECTE LA SOLEDAD

Un psicólogo de Miami visitó las montañas del Estado de North Carolina y quedó impresionado por la belleza de sus paisajes, el melodioso sonido que producía el viento al mover los árboles, la corriente de arroyos que serpenteaban graciosamente, los pájaros imprimiéndole vida a aquellos bellos lugares, la voz repitiéndose en un eco interminable como si existieran altavoces cada cierta distancia. El aire puro, la tranquilidad, las típicas cabañas de madera. El psicólogo y su esposa estaban tan impresionados que acudieron a un *real estate* (oficina de bienes raíces) y quedaron asombrados por el bajo costo de las propiedades en aquellas montañas, comparándolo con el valor de las propiedades en el sur del Estado de Florida. Compraron una propiedad en las bellas montañas del norte de Carolina y regresaron a Miami donde él renunció a su posición de maestro, lo vendió todo y llenó el vehículo con sus cosas más íntimas.

Durante varios meses aquella vida idílica de paz y felicidad interminables llegó a su saturación, pues no tenían con quién hablar, pocas cosas en qué entretenerse y quedaron abrumados con tanta paz y soledad. Como la mente es la que interpreta las realidades que se le enfrentan, ahora el estado de ánimo de mi colega psicólogo y maestro declinaba (ya que nuestra vida emocional es mucho más dominante en nuestro ánimo que nuestro raciocinio) ambos vinieron a menos. Regresaron a Miami y la oficina de *real estate* se encargó de venderles la propiedad perdiéndo dinero como todas las cosas que se venden cuando se hace apresuradamente. ¿Por qué regresaron?, les preguntaban sus familiares y amistades y la respuesta no se hacía esperar: «La soledad, demasiada soledad».

Esto puede ocurrirle a los españoles de Madrid, Barcelona o Valencia, pues en Cantabria existen valles y montañas muy atractivos o bien en los Pirineos o en la zona de los Picos de Europa pero si se llega a conocer la vida de las ciudades grandes, donde el progreso y la vida civilizada tienen los avances de la ciencia y la tecnología, el arte, la música, los espectáculos, cambiar todo esto por el valle del Pas en Cantabria, por ejemplo, nos parecería un cambio insoportable; sin embargo en ese valle, en las regiones montañosas de Suiza, en la Selva Negra de Alemania, en las selvas de América del Sur o la tranquilidad de las Islas de Indonesia lo soportaríamos si estuviésemos enfermos, como en la época aquella cuando la tuberculosis azotaba a la gente de las ciudades, más que a las que residían en el campo. El Dr. Erich Fromm, por ejemplo, uno de los gigantes de la Psicología, contrajo la tuberculosis y en las montañas de Suiza se curó.

Pero hay causas para la soledad que sufren algunas personas en las ciudades y la culpabilidad es de esas mismas personas pues son poco aptas para comunicarse con los demás. Hay muchas cosas que nos alejan de los demás: el temperamento o el carácter irascible, la falta de educación, de tacto, de no ser buenos anfitriones, nuestros fanatismos religiosos o políticos, no gozar de una buena reputación moral. A veces el hecho de vivir una pareja en concubinato, la falta de higiene, si se tienen vicios que la sociedad rechaza, no saber dialogar, sino tratar de imponer nuestro criterio por encima de la razón, hablar gritando, manoteando, gesticulando, utilizando palabras obscenas (que, como en América, suele rechazarse en muchos países). Todo lo anterior suele ser causa de que nos dejen solos, y tienen razón, porque es muy desagradable reunirnos con personas llenas de muchos de estos defectos.

Puede ocurrir que la persona sea buena, educada, noble y moral, pero se ha descuidado en mantener el contacto con sus familiares y amistades. Cuando yo era niño y adolescente, en Cuba se acostumbraban las visitas que aprendimos de nuestros padres y abuelos españoles, pero luego llegó el teléfono y cuando no se visitaban se llamaban mutuamente y se mantenía el contacto. También las personas se mudan y si no tenemos la precaución de tomar nota de sus nuevas direcciones, vamos a perder el contacto con ellas.

En los Estados Unidos tenemos mucha soledad porque el anglosajón no es muy amigo de hacer visitas y la televisión nos trae tantos programas atractivos, o cuando menos que nos distraen, que la preferimos a las visitas de personas que si no tienen cultura y si no son graciosos, nos aburren de lo lindo. Además, en nuestro pais se dice que no tenemos tiempo para hacer visitas, pues al regresar del trabajo lo que uno desea es llegar al hogar para descansar. Y cuando se dice que se trabaja mucho suele ser cierto, porque además del empleo de ocho horas, para ganar más dinero se trabaja en «part time», un empleo de pocas horas; para muchos aquí se vive para trabajar, mientras que en otros países se trabaja para vivir.

La soledad es depresiva en algunas personas, por eso es mejor estar casados que solteros, pero es bueno si existe la familia extendida como es o era en España, Cuba y América toda, en Estados Unidos la familia es nuclear: el matrimonio vive solo o con los hijos, pero no con abuelos, ni tías solteras, etc. Yo recomiendo que la persona con tendencia a la depresión que viva sola o se sienta sola aunque esté acompañada, que se matricule en escuelas nocturnas, se haga miembro de sociedades o de grupos sociales donde encuentre motivaciones retadoras que le den sentido a su vida. Existen varias recetas para combatir la soledad pero depende del temperamento y de las expectativas de cada persona y eso es decisión y selección particular.

La soledad no siempre es mala, también nos es muy útil para crear pues nos permite concentrarnos sin que nos interrumpan, nos molesten o perturben. Pero a fin de cuentas, debemos asociarnos con otras personas porque el mundo ha progresado por el intercambio entre unos y otros.

30.

UNA PSICOTERAPIA COMPLEMENTARIA PARA REGRESAR A LA NORMALIDAD

La persona que ha llegado a deprimirse es porque bifurcó el camino en algún momento de su vida, o porque arrastra desde su niñez o adolescencia algunos traumas, sentimientos de culpabilidad, etcétera. Da lo mismo una cosa u otra, porque las buenas terapias de las que disponemos no necesitan ir al pasado ni andar esuchando historias muy particulares que le sirven a la persona para descargar sus quejas. Todos sabemos que cuando estamos preocupados quisiéramos que alguien nos esuchara, como si al contar nuestro problema se aminorara el estado depresivo que sufrimos. Eso, en el lenguaje del Dr. Otto Rank, es como desear regresar al claustro o seno materno donde nos sentíamos seguros, pero el caso es que nacimos, crecimos, la vida nos presentó sus retos y estamos aquí frente a ellos. ¿Por qué esos deseos irresponsables de escapar de esas realidades dolorosas? ¿Por qué no tenemos el coraje y la responsabilidad de parar y decirnos: «No me voy a dejar vencer por esta depresión y voy a tener el valor de enfrentarla como nos enseñan las buenas psicoterapias». Eso, amiga o amigo, es lo que hay que hacer, como nos enseñó el Dr. Viktor Frankl llamándola intención paradójica, porque es una paradoja que uno mismo se hable, algo que los animales no pueden hacer, pero los humanos sí que podemos. Yo tengo muchísima experiencia con esta intención paradójica, pues millones de seres humanos en todas partes del mundo civilizado la utilizan y consiste en hablarse uno mismo y advertirse, aconsejarse, enseñarse a hacer lo que se debe hacer o no hacer lo que no se debe hacer.

No hables de depresión, no hables de enfermedades, no veas películas con temas violentos, desagradables, no intervengas en discusiones, no te involucres en polémicas, etcétera, tal como te he enseñado en capítulos anteriores. No des noticias, no quieras preocuparte más allá de lo que sería prudente. Lee los periódicos, mira los programas de televisión que te agraden, compra libros que te gusten y te enseñen algo útil o te entretengan; rehúye la pornografía, pero acércate a personas que te agraden. Busca la belleza, aléjate de lo feo, no vayas a funerales. Nada que sea desagradable para ti, pero vive tu presente con la mayor normalidad posible. Mira los deportes que te gusten, pero sin excitarte demasiado, sigue los acontecimientos mundiales y los de tu pais, provincia, ciudad o pueblo. Asiste a veladas artísticas, o sea, haz una vida normal pues en la medida que lo hagas poco a poco irás regresando a la normalidad. Insisto: haciendo o viviendo normalmente se regresa a la normalidad. Es cuestión de un poco de paciencia pues el regreso no se va a dar de la noche a la mañana. No te engañes ni pienses en milagros, la psicoterapia es un proceso reeducativo y toma su tiempo. Nadie llega a ser sabio sino es a través de un largo proceso de aprendizaje y experimentación. Cuando yo padecí una depresión muy severa el mundo se me venía abajo, pero andando el tiempo comprendí que nececesitaba aprender muchas cosas para volar por encima de las nubes, como los aviones. En aquella iglesia «Adventista del Séptimo Día», me aturdieron la mente con catástrofes, lluvia de azufre, con que el mundo se iba a acabar, que todos éramos pecadores y malos, etc. Acabaron con mi sistema nervioso, destrozaron mi infancia y mi adolescencia, pues todas esas advertencias me condujeron a un estado depresivo que me pudo llevar al suicidio, afectaron mi matrimonio, dañaron mi hogar, no pude darle a mi hijo todo el amor y la atención que necesitaba y no perdí mi trabajo por la compasión de mi jefe inmediato el Ingeniero Miguel Reyes, cristiano legítimo, auténtico, compasivo quien en lugar de censurarme por mis errores de enfermo, me llevó al mejor psiquiatra de Cuba, el Dr. Alberto Iglesias Núñez, quien en siete meses me devolvió a la normalidad con psicoterpia, sin un solo medicamento, hablando de todos los temas de los que hablan las personas normales. Siete meses, no pudo ser menos. Mis padres, fanáticos de esa religión, me adoraban, pero su fanatismo no les permitía ver las iniquidades, las desvergüenzas, los engaños de esa religión. Por eso les advierto a mis lectores, a quienes asisten a mis seminarios y a mis alumnos de *High School* que no se dejen engañar por ninguna religión ni por partidos políticos; que las escudriñen bien y que rechacen todas las mentiras que dicen, pero para eso necesitan educarse más, cultivarse más, superarse más. Como dice el Apóstol Pablo: «Hurgadlo todo y retened lo bueno». Es decir, tienes que seleccionar lo que vas a aceptar de lo que dicen los demás, los periódicos, las revistas, los noticieros de la televisión. Necesitas utilizar tu raciocinio, tu inteligencia, para analizar lo que vas a aceptar, lo que vas a creer. Que no se te ocurra aceptar los cuentos chinos con que tratan de engañarte y engatusarte.

A partir de ahora reflexiona sobre todo lo que leas, veas, o escuches. Usa tu raciocinio, que para algo tienes un cerebro dotado de millones de neuronas, con sus neurotransmisores para que puedas pensar, analizar y tomar decisiones acertadas. Lee libros buenos, que te ilustren, te enseñen, te eduquen más y te ayuden a ser una persona sabia. Y recuerda esta psicoterapia: trata de vivir normalmente, no como un enfermo, pues la depresión se alimenta de ella misma, es decir, mientras más pienses en ella o hables de ella, más se enraizará en tu mente. Acepta el reto: o permites que la depresión te venza o tú la vences a ella. Espero que este libro te ayude a salir de ella en pocos meses, para lo cual deberás leerlo varias veces.

31.

ATANDO CABOS SUELTOS PARA COMPLETAR ESTA REEDUCACIÓN PSICOLÓGICA

La vida humana no es en absoluto fácil, porque desde que nacemos estamos topándonos con dificultades y por eso el Dr. Sigmund Freud la dividió en cinco etapas y el Dr. Erik Erikson en ocho. En cada etapa debemos enfrentar problemas a medida que nuestro crecimiento va desarrollándose, no sólo porque este planeta está lleno de virus y bacterias, sino porque para sobrevivir debemos aprender muchísimas cosas que nos permitan no sucumbir temprano. Gracias al progreso en la Biología y en la Medicina vamos eliminando misterios y tratando de que se nos haga más fácil la lucha. Justamente el médico, Dr. Enrique Rodríguez Acosta, me decía hace muchísimos años: «Daniel, la vida es lucha, una constante lucha desde que naces hasta tus últimos días sobre la tierra». Y Carlos Gardel, con Alfredo Lepera, nos continúa diciendo en el tango «Volver» *que veinte años no es nada,* porque la vida es bastante breve. No, no es nada, pero puede ser mucho si desde temprano acudes a la Psicología para aprender el arte de vivir. Y no solo la vida es difícil para ganarnos el pan de cada día, como dice la oración de Jesús, sino que para abrirte paso dentro de cualquier sociedad a la que pertenezcas, para ganarte un espacio y disfrutar de respeto, admiración y el goce de los placeres que son los que nos traen compensación a nuestras luchas, debes invertir mucha energía nerviosa, un constante aprendizaje, cambios tan frecuentes como el progreso nos obligue a ello. Por ejemplo, yo diría que en los últimos 50 años hemos progresado más que en los 5.000 años de historia civilizada desde Sumeria y el Antiguo Egipto; pero es un progreso científico, tecnológico y en el reconocimiento del valor del ser humano, a partir de la incomparable etapa del Renacimiento, allá por el siglo XV, cuando Pico della Mirandola, Marsilio Ficino, la familia de Lorenzo de Médicis y otros proclamaron el valor y el significado tuyo, mío y de los demás seres humanos, situándonos detrás de Dios, pues el hombre está por encima de las instituciones, gracias a lo cual podemos decir que existen los llamados derechos humanos, el reconocimiento del valor de la mujer, el cuidado de los niños (aunque muy precariamente porque en África, Asia y América centenares de ellos mueren cada año de hambre y enfermedades).

Escribo todo esto porque si me he destacado en mi carrera de psicólogo clínico o psicoterapeuta, es porque no engaño a mis pacientes ni a nadie, prometiéndoles paraísos que no existen en la geografía mundial y trato de curarlos con verdades, por duras que estas puedan parecer. Si el mundo fuera justo, si la vida fuera fácil, si las sociedades fueran más equitativas, si los gobiernos distribuyeran mejor las riquezas, habrían tan pocas depresiones que apenas se escribirían libros sobre la neurosis o las depresiones. Y en lugar de tantos médicos, hospitales y dispensarios tendríamos más y mejores escuelas, más tiempo para aprender, viajar y conocer el planeta al cual pertenecemos. Si en los sistemas de educación se enseñase psicología desde el grado cuarto de la enseñanza elemental, los matrimonios perdurarían, los hogares formarían mejores ciudadanos, las sociedades tendrían menos delincuencia y criminalidad, prácticamente nadie consumiría drogas para escapar de sus realidades. La religión es buena y el ser humano parece necesitarla, pero no ha podido cambiarlo para mejorar porque la predicación convence muy poco, mientras que la educación es la gran formadora de las mejores conductas. El Dr. Abraham Maslow ha demostrado que la gente bien educada no padece, generalmente, depresiones porque se han preparado para entender la vida humana conviviendo armoniosamente, como decía Federico García Lorca, el gran dramaturgo español, ya que han aprendido un arte de vivir. Tres presidentes de los

Estados Unidos han recibido mi proyecto (redactado también por el Arquitecto Santiago Aranegui, distinguido profesor universitario) para mejorar la educación de mi pais adoptivo, pero nos han hecho muy poco caso, limitándose ellos a escribirnos bellas cartas de gratitud. Los gobernantes parecen necesitar que muchos ciudadanos se porten mal para que los abogados (que son la mayoría de los legisladores) puedan vivir como defensores, fiscales y jueces y, también, parece que no sienten compasión por las víctimas.

En este libro que he titulado EL ARTE DE VIVIR EN ARMONÍA te he presentado un sisterma psicoterapéutico probado por los mejores profesionales norteamericanos, austriacos, alemanes y franceses, incluyéndome a mí, que soy nieto de españoles. Psicoterapia es reeducación psicológica y mi habilidad (si es que tengo alguna) es haber aprendido, adaptado y mejorado un método que aprendí —creo habértelo dicho antes— durante la Segunda Guerra Mundial. Ya que para curarte necesito establecer un *rapport,* una identificación entre tú y yo para conseguir tu confianza, tu credibilidad en mis palabras y que te impulsen a poner en práctica lo que te he enseñado. Yo no inventé la psicología, pero he estudiado los trabajos y las experiencias de ciento cuarenta y un psicólogos de renombre, y durante más de un cuarto de siglo lo aprendido lo he puesto en práctica, y he tenido excelentes resultados. Éste no es mi primer libro sobre la matería, EDICIONES 29 me ha publicado seis obras, contando con la presente, y creo que soy el único psicólogo del mundo y de la historia que he puesto siempre mi dirección de Barcelona y la de Miami y he recibido millares de cartas para saber si mis libros han servido de utilidad o no. Antes de enviar los originales de mis libros, acostumbro a que los lean cuatro personas distintas: un psicólogo y psicoterapeuta, una persona deprimida de educación limitada, otra persona deprimida educada y una mujer u hombre que haya pensado en el suicidio. Con estos cuatro criterios tengo una idea de lo que el libro puede hacer por otras personas, no importa en qué parte del mundo residan. Estas cuatro personas mencionadas provienen de países diferentes y sus edades van desde los dieciocho años hasta los setenta y tantos.

Reuno los cuatro informes y si se descubren fallos, los rectifico, porque no me considero sabio y soy de los que estudio y aprendo durante todos los días de mi vida. Estoy más que convencido de que todas las depresiones se curan… siempre y cuando la persona deprimida coopere incorporando lo que aquí se le enseña. Si no incorpora, si no introduce cambios, si no aprende a adaptarse a las realidades cambiantes de este mundo cambiante, entonces su depresión se le hará crónica y no existirá nada ni nadie en el mundo que pueda ayudarle. Te he dicho antes que en la cura de las depresiones no existen los milagros, por lo menos yo no los conozco ni los he leído en los libros de ciento cuarenta y un psicólogos de renombre universal. Y hasta estos comienzos del siglo XXI los medicamentos continúan siendo útiles temporalmente, porque ahora sabemos más sobre los neurotransmisores del cerebro: la acetilcolina, la serotonina, la noreprinefina, la dopamina, las endorfinas y al AGAB (ácido gama-aminobutirico) este último relacionado con la modulación de la ansiedad. Pero parece ser que es la serotonina la que más tiene que ver con las depresiones. Los hemisferios del cerebro tienen alrededor de 100.000 millones de neuronas y estas tienen dentro una serie de químicas llamadas neurotransmisores, pero sospechamos que existen algunas otras a las que todavía no podemos darles nombre. Por eso te sugiero que acudas a tu médico, para que te recete un ansiolítico o un tranquilizante de acuerdo a su criterio, en tanto la psicoterapia puede hacer su trabajo como te dije al principio, cuando mencioné las palabras del Dr. Eduardo Ferrusquia.

Te he escrito este capítulo para que entiendas que la vida humana depende de tu mente, de tu cerebro y de cómo te relacionas con el medio que te rodea, las circunstancias con las que tienes que lidiar cada día, las realidades que no podrías cambiar, las realidades que podrías superar, los conocimientos de que dispones, la experiencia que tengas o de la que carezcas, tu actual situación donde estás, lo que te rodea, si tienes posibilidades de cambiar cosas, si debes y puedes probar suerte en otro lugar donde te iría mejor, si eres capaz de depender de ti mismo, de ti misma o si por alguna razón tienes que depender de otros. Yo no puedo conocer la situación personal de cada lector, así es que debo presentarte un abanico de posibilidades o alternativas algunas de las cuales puedan ayudarte a tomar decisiones acertadas por tu parte. Por regla general las estadísticas prueban que una persona en estado depresivo ve pocas o ninguna solución porque se siente tan mal que su mente esta turbada, confundida, su voluntad debilitada. Por todas estas cosas anteriores es por lo que quiero que enfrentes tu estado depresivo con valentía, aceptando que para llegar a una curación completa necesitamos tú y yo de un proceso de tiempo en el que cada día, semana o mes vas notando una mejoría, lenta tal vez pero segura, porque el crecimiento y la educación no se alcanzan de un día para otro. Tienes que agarrarte a esta realidad: la manera como el cerebro trabaja y normaliza la química de sus neurotransmisores, toma su tiempo, por eso la psicoterapia (incluso con ayuda de medicamentos) suele durar semanas o meses, dependiendo de cómo reacciona la mente de cada persona. Si tu pierdes la esperanza, si dudas de la psicoterapia, si desconfías de ti mismo, si piensas que tu destino es padecer y crees en todas esas sandeces que se leen en revistas, periódicos, libros o televisión provenientes de autores mediocres (que abundan más que la *verdolaga*) bifurcas tus pensamientos, te confundes y caes en un pozo de incertidumbre. Si haces eso estás perdido. O confías en un profesional acreditado y colaboras con él, o no hay curación. El secreto está en una palabra de la psicología que quiero que aprendas bien: EMPATHY (EMPATÍA) que es una relación de entendimiento que se establece entre el psicoterapéuta y el paciente, donde los une la confianza y se comprenden mútuamente. La otra palabra es RAPPORT que significa conformidad, estar de acuerdo, conforme. Eres libre para que ambos vocablos los adoptes o no entre mi método de psicoterapia y tú.

Termino este capítulo recalcándote que yo mismo atravesé en mi juventud por una depresión profunda y sé lo que se sufre, por eso la entiendo en otras personas y mucho más porque al cabo del tiempo ingresé en una universidad para estudiar la carrera y emplear seguidamente más de un cuarto de siglo en practicarla. Si eso te dice algo, invierte en este libro la confianza que se necesita para tener éxito juntos.

32.

PREGUNTAS
QUE AL HACÉRTELAS
TE INVITAN A REVISAR
TU CONDUCTA

- ¿En los últimos años has podido dar salida a tus emociones?
- ¿Hay cosas importantes que no has podido completar?
- ¿Te sientes comprendido por tus familiares más cercanos?
- ¿Hasta dónde te ha afectado la separación o el divorcio? (De haberse dado).
- ¿Tienes recuerdos desagradables de tu infancia, niñez o adolescencia?
- Si te has casado por segunda o tercera vez ¿cuán hondo te llena tu cónyuge?
- ¿Te asaltan algunas preocupaciones desagradables?
- ¿Existen miedos que te restan alegría y serenidad?
- ¿Te consideras víctima de algo o de alguien?
- ¿Qué opinión tienes de tu propia persona?
- ¿En qué crees?
- ¿Eres responsable de tus actos o no lo eres?
- ¿Qué o a quiénes rehuyes en tu vida?
- ¿Cuáles son las cosas que te sacan de quicio o te molestan?
- ¿Las ilusiones que has tenido las has podido realizar o no?
- ¿Consideras que tu vida tiene sentido o no lo tiene?
- ¿Qué es lo que le daría sentido, o más sentido, a tu vida?
- ¿Eres capaz de diseñar un mundo o medio ambiente a tu gusto?

- ¿Para ti el mundo es bueno, regular o malo?
- ¿Piensas que la vida te debe algo, que alguien te debe algo?
- ¿Has alcanzado parte de lo que te propusiste en tu pasado?
- ¿Cómo has reaccionado ante tus fracasos, errores o equivocaciones?
- ¿En qué o en quiénes te apoyas para vivir?
- ¿Conoces y aceptas tus limitaciones?
- ¿Aceptas y te adaptas a lo que no puedes cambiar, o te rebelas?
- ¿Temes enfrentar algunas de tus realidades desagradables o difíciles?
- ¿Has vivido orientado por alguna creencia religiosa o política?
- ¿Te molesta que muchas cosas, personas o sociedades sean diferentes?
- ¿Vives parte de tu tiempo en el pasado y en el futuro y poco en el presente?
- ¿Perdonas fácilmente o no puedes hacerlo aunque quisieras?
- ¿Tienes deudas morales que no has querido o podido pagar?
- ¿Sabes o sospechas que tienes enemigos?
- ¿Estás inconforme con algunas personas o situaciones?
- ¿Para ti en qué consiste la felicidad?
- ¿Piensas que has sido feliz en algunas oportunidades?
- ¿Te llenan mucho o poco las personas que están cerca de ti?
- ¿En que te entretienes en tu tiempo libre?
- ¿Tienes ideas fijas, pensamientos fijos, que no se alejan de tu mente?
- ¿Te atreverías a identificar los defectos que tienes, si es que los tienes?
- ¿Harías una lista de las virtudes que, según tú, tienes?
- ¿Puedes identificar las personas de la historia que te han servido de modelo?
- ¿Eres nacionalista, regionalista y muy poco universal?

- ¿Estás a gusto o no con el empleo o trabajo que tienes?
- ¿Te alcanza o no el dinero que recibes mensualmente?
- ¿Existen muchas necesidades que tienes y que no puedes satisfacer?
- ¿Serías capaz de concentrarte en el presente y sacarle provecho?
- ¿Te preocupan algunos de los misterios que nos reserva la vida y el universo?
- ¿Le temes al futuro o tienes confianza en que las cosas te saldrán bien?
- ¿Tienes el deseo, la voluntad y la decisión de superarte sin pensar en tu edad?
- ¿Sabías que el cuerpo envejece, pero el cerebro no necesariamente?
- ¿Sabes que la ciencia nos promete que bastante pronto nuestro cuerpo rejuvenecerá?
- ¿Sabes que la ciencia ya sabe cómo y por qué envejecemos?
- Alguien dijo que cada persona tiene su precio. ¿Vales mucho para ti?
- ¿Qué haces o has hecho para merecer que te admiren, respeten o te traten siempre bien?
- ¿Consideras que la ciencia y la tecnología han hecho mucho en favor de la humanidad?
- ¿Eres tan demócrata que sabes convivir con quienes piensan diferente a ti?
- ¿Te enojas cuando te llevan la contraria?
- ¿Rechazas el adulterio o en ocasiones le encuentras justificación?
- ¿Tu conducta es buena como hijo, cónyuge, padre o madre, etcétera?
- ¿Si tu cónyuge te maltrata, tendrías excusas para soportarlo o le denunciarías?
- ¿Te alimentas con lo que te gusta o con lo que le aprovecha mejor a tu cuerpo?
- ¿Eres esclavo o esclava de algún vicio como fumar, tomar licores, juegos de apuesta, etc.?

• ¿Te gusta escuchar chistes, reirte fácilmente, o contar tú los chistes?

• ¿Si hacen bromas contigo, te enojas, te agrada o las soportas para no quedar mal?

• ¿Odias a alguien?

• ¿Eres una persona leal con tu cónyuge y fraternal con tus amistades?

• ¿Te gustaría leer libros de historia, biografía, poesías, novelas de misterio u otros temas?

33.

ANTES, DURANTE Y DESPUÉS, PREVENIR ES DE SABIOS

Si eres una persona que puede reflexionar, tu inteligencia te advertirá de las prevenciones que debes y puedes tomar para saber decidir y anticipar las consecuencias de tus acciones. Si haces esto será muy difícil que caigas en una depresión o que la aumentes si ya la tienes. Las personas de conducta moderada y juiciosa evitan la mayor parte de las malas situaciones; no pocas veces modifican las circunstancias, evitan accidentes. Lo que en psicología o ciencias de la conducta llamamos prevención, es algo así como un seguro para una larga vida, con bastantes momentos de paz y felicidad. Un psicólogo no es Nostradamus, Malaquías o el Oráculo de Delfos, sino una persona que aprende un arte de vivir. Observa que dije «un arte» y no «el arte», porque con tantísimas culturas que tenemos en los cinco continentes es imposible que exista un solo arte de vivir; deben existir varios o muchos. El que yo te enseño en mis libros y en este en particular, es el que se deriva de las investigaciones de muchos psicólogos eminentes. A continuación voy a presentarte un grupo de problemas, algunos de los cuales no están o no podrían estar en la psicoterapia que te he presentado en este libro, por razones que tu mente debe haberte hecho comprender, después de leídas. Estos no son consejos, pues los psicoterapeutas no damos consejos, son respuestas a situaciones que suelen presentarse con bastante frecuencia en la vida de las personas, sobre todo cuando están casadas. Producen estados depresivos pues crean conflictos graves dentro del hogar, por eso hablo de prevención.

1. TIENES PROBLEMAS DE SEXUALIDAD QUE TE DEPRIMEN
—Debes visitar a un médico antes de ver a un psiquiatra o psicólogo.

2. TU CÓNYUGE NO QUIERE DARTE EL DIVORCIO
—Debes ver a un abogado competente (depende de cada país, por supuesto).

3. TIENES INHIBICIONES PARA ENAMORAR A UNA PERSONA
—En la vida quien no se arriesga ni gana ni pierde. Hay varias técnicas que ayudan, como tener una buena presencia, ser atento, obsequioso, atractivo, confiable, etc.

4. NO PUEDES DEJAR UN VICIO QUE TIENES
—En la mayoría de las ciudades hay clínicas especializadas.

5. EL CÓNYUGE O EX-CÓNYUGE TE HA AMENAZADO DE MUERTE
—Ve a la policía y pide protección, pero tú misma toma precauciones.

6. UN ENAMORADO TE ASEDIA Y NO TE DEJA VIVIR
—Ve a la policía y haz la denuncia correspondiente. Puede ser tu jefe, un amigo, etc. En los Estados Unidos de América estos asedios están prohibidos y los infractores terminan en la cárcel.

7. TIENES DISCUSIONES FRECUENTES EN TU MATRIMONIO
—Es un infierno, pero trata de persuadir a tu cónyuge con razonamientos; si se niega, entonces busca la asesoría de un consejero matrimonial, tal vez tu párroco.

8. TE DEPRIMES POR UN HIJO O HIJA QUE ESTÁN CONSUMIENDO DROGAS

—Busca ayuda profesional especializada; generalmente es un servicio oficial gratis.

9. ADULTERIO POR PARTE DE TU CÓNYUGE

—Depende de tu temperamento o situación. Veo dos alternativas: 1) le perdonas o, 2) te separas.

10. TU EX-CÓNYUGE Y TÚ PRETENDÉIS VOLVER A UNIROS.

—Puede salir bien, pero las estadísticas que tenemos en psicología demuestran que la mayoría de las reconciliaciones fracasan.

11. TU CÓNYUGE SE HA HECHO MIEMBRO DE UNA RELIGIÓN QUE A TI NO TE GUSTA, PERO ÉL TE PRESIONA Y TÚ NO LO ACEPTAS EN MODO ALGUNO.

—Tienes perfecto derecho a negarte rotundamente, pues las creencias no se pueden imponer.

12. TU CÓNYUGE QUIERE MUDARSE A OTRA CIUDAD U OTRO PAÍS Y TÚ NO QUIERES

—Debe probarte que es una necesidad imperiosa, de supervivencia, de progreso, pues tus opiniones cuentan tanto como las de tu cónyuge. Mutuo acuerdo es la palabra de orden.

13. UN FAMILIAR DENTRO DE TU HOGAR VIENE SINTIÉNDOSE MAL, PERO NO QUIERE IR A VER AL MÉDICO

—Tu deber es persuadirle, pues una demora en consultar puede ser fatal.

14. TU CÓNYUGE Y TÚ TENÉIS, DIGAMOS, MENOS DE 60 AÑOS Y ESTÁIS DE BUEN VER TODAVÍA, CUANDO UN PARIENTE (HOMBRE O MUJER) O AMISTAD QUIERE PASAR UN TIEMPO EN VUESTRO HOGAR.

—Es uno de los mayores riesgos de adulterio que existen en la historia. Por eso Jesús nos dice en la oración: «... y no nos dejes caer en la tentación».

15. TU MARIDO TIENE UNA EMPLEADA O SECRETARIA ATRACTIVA.

—El riesgo de que puedan relacionarse sentimental y sexualmente es de un porcentaje alto.

16. TU CÓNYUGE DESEA VIAJAR POR UNA RUTA QUE TOMARÁ MUCHAS NOCHES Y DÍAS Y TÚ NO DESEAS ACOMPAÑARLE

—Estarás propiciando oportunidades para que pueda enredarse en un *affair* o aventura amorosa. Estos viajes son muy tentadores y el hombre o la mujer son débiles (la carne es débil). En el matrimonio los cónyuges deben permanecer juntos la mayor parte del tiempo y, sobre todo, en estos viajes de recreo

Termino diciéndote que en la vida no se debe perder tiempo, pues como decían Gardel y Lepera: «Las horas que pasan ya no vuelven más». Absolutamente nadie puede regresar al pasado a rectificar sus errores o ganar el tiempo que perdieron. Dos de mis libros publicados por EDICIONES 29 se titulan precisamente: TIEMPO DE VIVIR y DESDE HOY EN ADELANTE. Si dentro de los matrimonios, por ejemplo, un cónyuge o los dos actuaran con la prontitud que cada caso requiere, se ahorrarían muchos estados depresivos, fracasos dolorosos, tragedias y no se les escaparían las oportunidades de ser felices, pues no hemos venido a la vida a sufrir, sino a disfrutar de esta oportunidad que nos ha dado el Creador.

34.

HERRAMIENTAS
PARA LA VIDA

Jesús aprendió un oficio desde pequeño junto a su padre putativo, José, y aunque se especula mucho sobre donde estuvo hasta que comenzó su ministerio a la edad de treinta años, yo sostengo que estuvo todo el tiempo en Nazaret, trabajando como ayudante de José y junto a María y sus hermanos, hijos del primer matrimonio de José. No olvides que los psicólogos solemos ser también sociólogos y antropólogos, que tres disciplinas de las ciencias de la conducta y gran parte de nuestro trabajo con investigar y descubrir verdades. ¿En qué me baso para afirmar que Jesús estuvo dieciocho años en Nazaret? En que cuando estaba llevando a cabo su ministerio regresó a su pueblo y la gente decía, ¿pero este no es el hijo de José, el carpintero? Los fanáticos no pueden razonar porque están enfermos de ideas fijas y cerradas, otros que no son fanáticos, narran historias sobre esos dieciocho años y lo sitúan en lugares distintos, pero además de psicólogo, sociólogo y antropólogo, soy historiador y periodista y las pruebas que nos dan los Evangelios son que Jesús nunca salió de Nazaret en los años «perdidos».

Narro todo lo anterior porque la carpintería es un arte, como la ebanistería, donde el artista se ve impulsado a crear, modificar, reparar o desechar cosas cuando no tienen arreglo según su mejor criterio. ¿Acaso todo esto contribuyó o no a la formación de nuestro Redentor? Su ministerio tiene todo eso: creatividad, modificación, reparación y rechazo. Y gran parte de las personas deben aprender como lo hacen los carpinterios y los ebanistas durante el transcurso de sus vidas. Las épocas cambian, las circunstancias cambian, y las personas deben ajustarse a esos cambios sin abandonar sus dones y sus proyectos, pero incorporando lo mejor del progreso, de lo nuevo, pues lo dijo sabiamente el Apóstol Pablo: «Hurgadlo todo y retened lo bueno». No estamos obligados si somos demócratas a aceptar un cambio político de la democracia hacia cualquier tipo de dictadura; y si tenemos espíritu investigativo y científico no tenemos por qué aceptar lo que no lo es. Tenemos la necesidad de seleccionar lo que es mejor y a rechazar lo que consideramos que no lo es.

Le debo el título de este capítulo a la señora Marisela Amador de Aranegui, esposa de un prestigioso miamense que es místico, metafísico, sociólogo, egiptólogo, escritor, además de profesor universitario y muchas cosas más y, además mi mejor amigo con quien comparto todos los jueves del año su programa «Ayer, Hoy y Mañana» por la mejor radiodifusora del Sur del Estado de Florida. Es el programa de mayor audiencia en horas de la noche, a pesar de la *fortissima* competencia que nos hace la televisión; se debe a que dialogamos sobre temas de gran relevancia y decimos nuestra verdad sin tapujos y sin miedos, por eso decenas de millares de radioyentes confían en nuestros criterios. ¡Vale la pena no engañar ni tratar de manipular a los demás!

Para vivir, convivir y sobrevivir necesitamos herramientas como dice Marisela, herramientas para la vida. Y esas herramientas te las he ofrecido desde las primeras páginas de este libro, al igual que en todos mis libros anteriores.

Seguidamente voy a ofrecerte más herramientas para que te hagas una persona sabia y jamás vuelvas a caer en estados depresivos como me pasó a mí que perdí muchos años de mi juventud por una neurosis o depresión que me impidió disfrutar la vida con la plenitud que un ser humano decente merece.

APEGO Y DESPRENDIMIENTO

El arte de vivir consiste en saber cuándo debemos aferrarnos a lo que amamos, y cuando no. La vida es una paradoja: nos exije apegarnos a sus múltiples dones, pero más tarde o más temprano nos fuerza a abandonarlos. Esta frase es del Rabino Alexander Schindler, de las Congregaciones Hebreas Norteamericanas.

UN MENSAJE DE DANTE ALIGHIERI PARA TODOS NOSOTROS

El ser humano debe explorar la intimidad de su alma, examinar su propio corazón y elevarse sobre el pecado y la tentación, para hacerse digno miembro de la sociedad.

¿PUEDE NEGARSE EL ALMA?

El escritor francés René Dubós, en su libro «ELEGIR SER HUMANO», nos dice lo siguiente:

«Los aspectos utilitarios de la vida humana son una expresión tan antigua y universal que han de corresponder a una profunda necesidad psicológica...Cuanto más se penetra en el pasado, mayor es la proporción del esfuerzo dedicado a la construcción y embellecimiento de monasterios, catedrales, palacios; en otras palabras, a unas creaciones que no contribuían a las necesidades prácticas de la vida...La satisfacción de las necesidades materiales es indispensable, naturalmente, para la supervivencia del individuo, pero sólo los valores de tipo espiritual pueden integrar un cuerpo social...Hace falta lo que se llama un alma... El alma de una sociedad o de una ciudad es un concepto tan vago como el alma de una persona y, sin embargo, estas expresiones corresponden a realidades cuya existencia es imposible negar.»

USTED, YO Y LAS CIRCUNSTANCIAS

Del mismo René Dubós es este concepto que leeremos: «Todo ser humano imagina su vida y luego la modela haciendo uso de las opciones que se le ofrecen y, sobre todo, buscando las condiciones que le permiten desarrollarse. La cartilla escolar de Napoleón, predecía: "Irá lejos si las circunstancias le son favorables". Pero de hecho fue Napoleón mismo quien se colocó en las circunstancias y fue al encuentro de los acontecimientos que le permitieron llegar lejos.

¿REGRESARÍA USTED A LA POBREZA O A LA IGNO-RANCIA?

En los Estados Unidos, después que terminó la Primera Guerra Mundial, se hizo popular un refrán muy elocuente: «YOU CAN'T KEEP THE BOYS ON THE FARM AFTER THEY HAVE SEEN PARIS». (No se puede enviar a los soldados a la granja una vez que han visto París). Igualmente, después que una persona ha conocido la prosperidad, el progreso, ha adquirido conocimientos en forma de educación y cultura, es prácticamente imposible hacerle regresar a la pobreza o a la ignorancia. El ser humano está diseñado de tal forma, que su impulso natural es desarrollarse, completarse como persona, terminar de hacerse. Es decir, a crecer, a progresar, a ir hacia arriba y hacia adelante, porque así es la manera en que estamos constituídos. Así nos ha hecho el Creador. (Este es el criterio del humanismo renacentista y el de todos los psicólogos humanistas).

NO SÓLO DE PAN VIVE EL HOMBRE

La antropología cultural ha probado el aspecto no utilitario de los seres humanos, sus inclinaciones espirituales por encima de sus mismas necesidades materiales o, una vez que éstas han sido satisfechas; como si el comer, dormir, etc. no le fueran suficientes. Durante la prehistoria unos hombres que vivían de la caza dedicaron prodigiosos esfuerzos a la creación de pinturas en las cuevas de Altamira, en la provincia de Santander, España; así como también en Lascaux, una caverna prehistórica que se encuentra en Montignac, en Dordoña, Francia, y en cientos de otras cuevas; modelaron sus instrumentos y sus armas con un esmero que nada tenía que ver con su utilidad práctica. ¿No prueba esto una vez más que el ser humano es poseedor de un alma y que este alma necesita de ciertas actividades, de ciertos estímulos, que son completamente diferentes a lo que nuestro organismo material requiere?

Estimado lector o lectora: saca provecho de estas herramientas que te ofrezco llegando ya al final de este libro, porque —recuerda— todo comienzo tiene su final, como dice una canción del compositor cubano Mario Fernández Porta.

35.

MEDICINAS
Y TRANQUILIZANTES
PARA LA ANSIEDAD

Este libro se refiere específicamente a las depresiones, no a las enfermedades llamadas bipolares. Las personas que padezcan de esquizofrenia, paranoia o manía depresiva, entre otras, deben acudir a un psiquiatra, no a un psicólogo. Las enfermedades bipolares requieren asistencia personal de la psiquiatría y de medicamentos muy específicos; ningún tratamiento para estas enfermedades puede ofrecerse en libros, ni se pueden comprar medicinas sin receta médica en farmacias. Es indispensable, repito, consultar con un psiquiatra.

Las depresiones pueden ser consideradas enfermedades menores si las comparamos con las mencionadas, ya que la psicoterapia hablada es la que obtiene resultados permanentes, pero visitar la consulta de un psicólogo clínico o psicoterapeuta es muy apropiado. Si un psiquiatra es ducho en manejar las psicoterapias habladas y no concentrarse únicamente en recetar ansiolíticos y tranquilizantes, también es apropiado. Debo decir con la honestidad que me caracteriza, que hay muy pocos psicoterapeutas buenos en el mundo, pues no basta estudiar la carrera de psiquiatra o psicólogo, sino que debe tener una sólida cultura, como sugiere el prestigioso psicólogo norteamericano Dr. Gordon Allport. ¿Y por qué es así? Se debe a que los pacientes provienen de las tantísimas culturas que existen en el mundo, de determinada creencia o religión, de un nivel educativo casi nulo o elevado, etc. La psicoterapia depende de la comunicación entre el psicoterapeuta y el paciente, de que pueda establecerse un *rapport* y una empatía y ambas cosas exigen cultura general, no únicamente la carrera universitaria.

En este capítulo te indicaré algunos de los medicamentos que suelen emplearse en los estados depresivos; sus nombres son los que tienen en los Estados Unidos y en cada pais pueden recibir otro nombre para un mismo producto o medicamento. Como te he recomendado, consulta con tu médico de familia(en mi pais le llaman médico de cabecera), el te recetará el ansiolitico o el tranquilizante que considere mejor para tu estado depresivo, si tal es el caso. Debo advertirte que no tomes un medicamento que no te haya sido recetado por tu médico, pues la mayoría tienen efectos secundarios y pueden interferir con otros que estés tomando para algún otro padecimiento; puede ser súmamente peligroso que hagas lo contrario a lo que te estoy sugiriendo. No acudas a la acupuntura o a curanderos y no pienses en tomar cantidades de tila o tilo u otras hierbas de las que llaman curativas, porque si la ciencia no las ha aprobado, no sabemos si los resultados serán buenos o malos. Confía en la psicoterapia y en la medicina que te recete tu médico.

Existen medicinas para calmar la ansiedad que son llamadas tranquilizantes. Aparecieron en el mercado hace varias décadas con el nombre de Benzodiazepinas. La principal de estas sustancias fue llamada Diazepan que aparece con el nombre comercial de Valium, que tuvo un éxito rotundo. A partir de este momento se hicieron muchos cambios en la estructura de las Benzodiazepinas y surgieron muchos productos que tenían pequeñas variantes en cuanto a acción y efectos secundarios. Aparecieron con el nombre de Tranxene, Ativán, Librium, Triabil, etcétera. Debo mencionar también derivados del Benzodiazepan con efectos hipnóticos, como son el Temazepan (Restoril), Flurozepan (Dalmane) y el Halción. Quiero recordar una medicina que lleva en el mercado muchísimo tiempo: el Meprobamato, el cual además de tranquilizante es también un relajante muscular.

Las últimas medicinas que han aparecido en el mercado norteamericano para las depresiones son los inhibidores de la absorción rápida de la sustancia llamada Serotonina (un neurotransmisor que está dentro de las neuronas en el cerebro). Entre los tranquilizantes los más conocidos son: Celexa, Effector, Paxil, Prozac (muy discutido y controvertido en Estados Unidos), Zoloft y Xyprexza.

(Este capítulo ha sido posible gracias a la cooperación de la distinguida profesional, Sra. Marcia C. Marina, Doctora en Farmacia).

36.

PERMÍTEME TERMINAR ESTA OBRA CON UN POTPURRÍ DE TÓPICOS

Creo haber escrito mi mejor libro sobre psicoterapia por la ayuda que pueda prestarte para que regreses triunfante a una vida de paz y felicidad humamente razonable, porque no podemos buscar perfecciones en utopías divorciadas del mundo y de la época en la que vivimos. Tenemos que poner los pies en la tierra y utilizar los recursos de los que disponemos. Apelo a tu buen juicio, a tu firme deseo de aprender un arte de vivir, a no dejarte vencer por los fracasos de la vida, y a no permitirle a un estado depresivo que merme tus ansias de vivir y de ser feliz. Puedes vivir en España, Alemania. América del Sur, América Central, las islas del Caribe o Norteamérica que comienza en México. Escribo en castellano clásico para que todos los hispanoparlantes me entiendan, no utilizo americanismos y manejo el idioma de manera tal que pueda entenderme cualquier ser humano con educación elemental y hasta los llamados intelectuales. He sido maestro de hispanos procedentes de casi todos los paises mencionados, cuyas edades han ido desde los 14 hasta los 101 años. Y durante más de un cuarto de siglo. En ninguna de las cartas recibidas desde 1985 me han reprochado cómo manejo el idioma de Cervantes. Me he dado a entender. Confío que este libro llegue fácilmente a los dos hemisferios de tu cerebro: el izquierdo que se ocupa del raciocinio y la lógica y, el derecho, que se ocupa de las emociones, del arte, la poesía, etc.

Elegí para terminar este libro una tarde muy bonita, de sol, con los árboles meciéndose por un viento suave, los pájaros volando de un árbol a otro, y detrás de mí, como un susurro, una radioemisora norteamericana de frecuencia modulada, 101.5, que transmite música de las décadas pasadas. Estoy solo en mi oficina, en el segundo piso de mi casa en la barriada de Kendall, en Miami, y siento como si estuviera en armonía con el Infinito (al decir de Waldo Trine, el escritor inglés) y los conocimientos y las experiencias de todos estos años me ayudasen a comunicarme contigo, y a despedirme momentáneamente en tanto pudiéramos comunicarnos de alguna manera la próxima vez. He escogido para este capítulo de tópicos diversos, parte de los escritos que dejó antes de morir el extraordinario psicólogo Abraham Maslow, dispersos en periódicos y universidades, pero tienen tanto valor que me tienta dártelos a conocer como un postre al final de una cena excelente. No hay mucha coordinación en estos tópicos, sino pensamientos sueltos, que son tan refrescantes como el rocío en las mañanas del trópico. Cualquiera de ellos invitan a la reflexión y te ayudarán a reconstruir tu vida desde hoy en adelante con la sabiduría que se necesita.

Es totalmente cierto que el ser humano vive sólo por el pan, cuando no hay pan. Pero ¿qué sucede con los deseos del ser humano cuando hay abundancia de pan y su vientre está crónicamente lleno? De repente, emergen otras necesidades «superiores» y son éstas las que dominan el organismo en lugar de las hambres psicológicas. Y cuando, a su vez, éstas son satisfechas, una vez más emergen nuevas necesidades, aún «superiores», y así sucesivamente.

Esto significa que «no sólo de pan vivirá al hombre». Siempre necesitaremos trascender a la comida y a las necesidades básicas, pues la inclinación humana es crecer por encima de su existencia material.

Si un ser humano quiere estar en paz consigo mismo, si es músico, debe hacer música, si es artista debe pintar, si es poeta debe escribir. Lo que un ser humano puede ser, debe serlo. Esta necesidad podemos llamarla autorrealización... Se refiere al deseo del ser humano de plenitud, concretamente, a la tendencia de convertirse realmente en lo que es potencialmente: de llegar a ser todo lo que es capaz de ser.

Si queremos responder a la pregunta de hasta qué punto puede desarrollarse la especie humana, obviamente es apropiado escoger a aquellas personas que ya son más elevadas y estudiarlas. Si queremos saber lo rápido que puede correr un ser humano, no tiene ninguna utilidad quedarse con la media de velocidad de la población; es mucho mejor escoger a ganadores de medallas de oro olímpicas para ver hasta dónde podemos llegar. Si queremos conocer las posibilidades de crecimiento espiritual, desarrollo en los valores y desarrollo moral en los seres humanos, mantengo que podemos aprender el máximo estudiando a nuestros seres humanos más morales, éticos o santos.

Podemos ser como Suecia, Noruega y Dinamarca, donde Dios ha muerto y no hay un Dios, en donde todo es racional, con sentido común, lógico, empírico, pero ya no trascendente. Se puede admirar y respetar a los países escandinavos, pero no se les puede amar, ¡ymucho menos rendir culto! Todo lo que una inteligencia buena, mundana y razonable sobre este mundo podría haber hecho, lo ha hecho allí. ¡Pero no es suficiente!

El poder de las experiencias superiores podría afectar permanentemente nuestra actitud hacia la vida. Un solo vislumbre del cielo es suficiente para confirmar su existencia, aunque nunca se vuelva a experimentar.

Sospecho intensamente —continua diciendo Maslow— que una experiencia de esta naturaleza podría ser capaz de impedir el suicidio... y quizá, muchas variedades de autodestrucción lenta, como el alcoholismo, la drogadicción y la adicción a la violencia.

Nuestro miedo e incomprensión del dolor

Nuestra búsqueda de la felicidad pensamos que está únicamente en el camino hacia los placeres, pero no caemos en la cuenta de que también se llega a la felicidad a través del sufrimiento, del dolor, las privaciones, las quejas y las dificultades.

Escribir este libro, por ejemplo, me ha tomado muchos días y noches, doliéndome la espalda porque el asiento no es de los mejores y privándome de paseos, teatros y compromisos sociales porque considero que una tarea que se empieza debe continuarse hasta verla concluída y, también, porque cada día se suicidan muchas personas en el mundo, decenas de millares sufren los rigores de la depresión y pienso que si lo termino lo antes posible, voy a evitar tragedias y sufrimiento en millares de personas que necesitan de una orientación psicoterapéutica. De todo el placer que yo experimenté, me retribuye la felicidad de hacer el bien. Un matrimonio decide traer hijos al hogar, se sabe que la mujer debe estar nueve meses sufriendo vómitos, nauseas, inflamación de los pies y corriendo riesgos al parir, pero ¡cuánta felicidad cuando su criatura llega a la vida! Saber que un hijo le da un grandísimo significado a su vida. Tener una familia y amarla es adquirir preocupaciones, porque se enferman, atraviesan conflictos, se ven a veces metidos en problemas graves, pero la familia nos trae un gran significado, nos aleja la soledad pues tenemos con quienes compartir la vida y en quien apoyarnos. La familia suele proporcionarnos muchas horas felices, a pesar de las preocupaciones y de los sufrimientos que puedan surgir.

Hace muchísimos años conocí a un hombre joven que tenía una joyería en la calle de Reina, en La Habana. Se había casado y divorciado dos veces y me dijo que no creía ni en el matrimonio ni en volver a enamorarse porque corría el riesgo de sufrir. ¿Qué haces entonces? le pregunté. A lo que me respondió: «Cuando necesito una mujer para tener relaciones sexuales, voy a una casa de citas, me sirvo de una mujer que escojo, le pago, nos despedimos y cada uno va para su casa; como no estoy enamorado, no podría hacerme sufrir». Dejé de verlo y sólo acude a mi mente la experiencia que tengo con casos como éste, donde el hombre o la mujer se han decepcionado de los sufrimientos que pueden surgir dentro del matrimonio y parecen estar escarmentados, pero las estadísticas profesionales demuestran que el matrimonio es algo que el ser humano parece necesitar y conozco a muchos hombres y mujeres que se han casado cuatro y cinco veces hasta encontrar la pareja ideal o, por lo menos, un cónyuge compatible. Mi amigo de la calle Reina debe haber entrado en las estadísticas, pues la mayoría de las personas divorciadas vuelven a casarse si tienen la oportunidad de hacerlo. Los sufrimientos, las decepciones, las discusiones de los matrimonios anteriores dejan traumas más o menos profundos, pero la vida está diseñada para que dominen las necesidades del cuerpo y de la mente y venzan a los traumas y a los recuerdos desagradables. Hombres y mujeres se necesitan no sólo para la sexualidad, no únicamente por tener compañía permanente, sino porque es dentro del matrimonio donde la vida adquiere uno de sus mayores sentidos. El matrimonio es uno de los mejores remedios para el vacío existencial, para evitar la vacuidad. No le temo a lo que alguien pudiera replicarme: de que un matrimonio mal llevado puede dar origen a depresiones, aún así «preocuparse de algo que valga la pena —dice Maslow— es ciertamente mejor que no tener nada ni nadie de que preocuparse». Y el matrimonio suele valer la pena. Como has visto, la felicidad no viene únicamente a través del placer, así es que debes aceptar que el dolor y el sufrimiento pueden ser senderos que conducen a la felicidad.

En este momento quiero pedirte que busques y leas nuevamente el capítulo 2, titulado ES MUY DIFÍCIL QUE EXISTA UNA PERSONA QUE NUNCA HAYA SUFRIDO UN ESTADO DEPRESIVO BREVE O PROLONGADO, específicamente las palabras de José Ortega y Gasset. Aprenderás a tomar decisiones acertadas y a enfrentar la vida que no solicitaste, pero que está aquí y algo tienes que hacer con ella. Después de que leas varias veces este libro, es posible que entiendas cabalmente tu vida y aprendas a conducirla con acierto.

Dr. Daniel Román
15925 S.W. 103rd Lane
Miami, Florida 33196-6180, U.S.A.
e-mail: droman925@bellsouth.net